中国电子信息工程科技发展研究

大数据技术及产业发展专题

中国信息与电子工程科技发展战略研究中心

U0262750

科学出版社

北京

内 容 简 介

当前，大数据不仅是推进网络强国建设的重要领域，更是新时代加快实体经济质量变革、效率变革、动力变革的战略依托。

本书首先简要阐述了大数据的概念、特征和主要发展阶段，并对我国的国家和地方大数据产业政策进行了详细的梳理。在大数据技术章节，按照数据的生命周期对数据采集、存储、计算、管理、应用和安全技术进行了简要的介绍。针对大数据产业，重点从产业发展现状和相关产业主体进行分析。在大数据应用领域，简要介绍了大数据在数字经济、通信、政务、金融、工业等领域的融合应用情况。最后就数据资产、数据要素和大数据法制的发展现状和趋势进行了简要分析和介绍。

本书适合人工智能、计算机等专业的本科生、研究生，以及相关专业的教师、产业工程科技人员阅读。

图书在版编目（CIP）数据

中国电子信息工程科技发展研究. 大数据技术及产业发展专题/中国信息与电子工程科技发展战略研究中心编著. —北京：科学出版社，2023.3

ISBN 978-7-03-074745-7

Ⅰ. ①中… Ⅱ. ①中… Ⅲ. ①电子信息-信息工程-科技发展-研究-中国 ②数据处理-研究-中国 Ⅳ. ①G203②TP274

中国国家版本馆 CIP 数据核字（2023）第 005509 号

责任编辑：赵艳春 / 责任校对：韩　杨

责任印制：吴兆东 / 封面设计：迷底书装

科学出版社 出版

北京东黄城根北街 16 号

邮政编码：100717

http://www.sciencep.com

北京虎彩文化传播有限公司 印刷

科学出版社发行　各地新华书店经销

*

2023 年 3 月第　一　版　开本：890×1240 A5

2023 年 3 月第一次印刷　印张：5 1/4

字数：126 000

定价：99.00 元

（如有印装质量问题，我社负责调换）

《中国电子信息工程科技发展研究》指导组

组　长：

吴曼青　费爱国

副组长：

赵沁平　余少华　吕跃广

成　员：

丁文华　刘泽金　何　友　吴伟仁

张广军　罗先刚　陈　杰　柴天佑

廖湘科　谭久彬　樊邦奎

顾　问：

陈左宁　卢锡城　李天初　陈志杰

姜会林　段宝岩　邬江兴　陆　军

《中国电子信息工程科技发展研究》工作组

组　长：

余少华　陆　军

副组长：

张洪天　党梅梅　曾倬颖

国家高端智库

中国信息与电子工程科技发展战略研究中心
CETC 中国电科 CAICT 中国信通院 CHINA ELECTRONICS AND INFORMATION STRATEGIES

中国信息与电子工程科技发展战略研究中心简介

中国工程院是中国工程科学技术界的最高荣誉性、咨询性学术机构，是首批国家高端智库试点建设单位，致力于研究国家经济社会发展和工程科技发展中的重大战略问题，建设在工程科技领域对国家战略决策具有重要影响力的科技智库。当今世界，以数字化、网络化、智能化为特征的信息化浪潮方兴未艾，信息技术日新月异，全面融入社会生产生活，深刻改变着全球经济格局、政治格局、安全格局，信息与电子工程科技已成为全球创新最活跃、应用最广泛、辐射带动作用最大的科技领域之一。为做好电子信息领域工程科技类发展战略研究工作，创新体制机制，整合优势资源，中国工程院、中央网信办、工业和信息化部、中国电子科技集团加强合作，于 2015 年 11 月联合成立了中国信息与电子工程科技发展战略研究中心。

中国信息与电子工程科技发展战略研究中心秉持高层次、开放式、前瞻性的发展导向，围绕电子信息工程科技发展中的全局性、综合性、战略性重要热点课题开展理论研究、应用研究与政策咨询工作，充分发挥中国工程院院士，国家部委、企事业单位和大学院所中各层面专家学者的智力优势，努力在信息与电子工程科技领域建设一流的战略思想库，为国家有关决策提供科学、前瞻和及时的建议。

《中国电子信息工程科技发展研究》编写说明

当今世界，以数字化、网络化、智能化为特征的信息化浪潮方兴未艾，信息技术日新月异，全面融入社会经济生活，深刻改变着全球经济格局、政治格局、安全格局。电子信息工程科技作为全球创新最活跃、应用最广泛、辐射带动作用最大的科技领域之一，不仅是全球技术创新的竞争高地，也是世界各主要国家推动经济发展、谋求国家竞争优势的重要战略方向。电子信息工程科技是典型的“使能技术”，几乎是所有其他领域技术发展的重要支撑，电子信息工程科技与生物技术、新能源技术、新材料技术等交叉融合，有望引发新一轮科技革命和产业变革，给人类社会发展带来新的机遇。电子信息工程科技作为最直接、最现实的工具之一，直接将科学发现、技术创新与产业发展紧密结合，极大地加速了科学技术发展的进程，成为改变世界的重要力量。电子信息工程科技也是新中国成立 70 年来特别是改革开放 40 年来，中国经济社会快速发展的重要驱动力。在可预见的未来，电子信息工程科技的进步和创新仍将是推动人类社会发展的最重要的引擎之一。

把握世界科技发展大势，围绕科技创新发展全局和长远问题，及时为国家决策提供科学、前瞻性建议，履行好国家高端智库职能，是中国工程院的一项重要任务。为此，中国工程院信息与电子工程学部决定组织编撰《中国电子信息工程科技发展研究》(以下简称“蓝皮书”)。2018 年 9 月至今，编撰工作由余少华、陆军院士负责。“蓝皮书”分综合篇和专题篇，分期出版。学部组织院士并动员各方面专家 300 余人参与编撰工作。“蓝皮书”编撰宗旨是：分析研究电子信息领域年度科技发展情况，综合阐述国内外年度电子信息领域重要突破及标志性成果，为我国科技人员准确把握电子信息领域发展趋势提供参考，为我国制定电子信息科技发展战略提供支撑。

“蓝皮书”编撰指导原则如下：

(1) 写好年度增量。电子信息工程科技涉及范围宽、发展速度快，综合篇立足“写好年度增量”，即写好新进展、新特点、新挑战和新趋势。

(2) 精选热点亮点。我国科技发展水平正处于“跟跑”“并跑”“领跑”的三“跑”并存阶段。专题篇力求反映我国该领域发展特点，不片面求全，把关注重点放在发展中的“热点”和“亮点”问题。

(3) 综合与专题结合。“蓝皮书”分“综合”和“专题”两部分。综合部分较宏观地介绍电子信息科技相关领域全球发展态势、我国发展现状和未来展望；专题部分则分别介绍 13 个子领域的热点亮点方向。

5 大类和 13 个子领域如图 1 所示。13 个子领域的颗粒度不尽相同，但各子领域的技术点相关性强，也能较好地与学部专业分组对应。

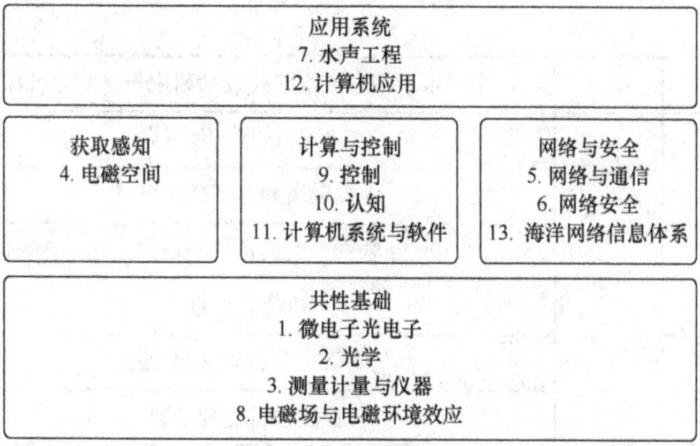

应用系统
7. 水声工程
12. 计算机应用

获取感知
4. 电磁空间

计算与控制
9. 控制
10. 认知
11. 计算机系统与软件

网络与安全
5. 网络与通信
6. 网络安全
13. 海洋网络信息体系

共性基础
1. 微电子光电子
2. 光学
3. 测量计量与仪器
8. 电磁场与电磁环境效应

图 1　子领域归类图

前期，“蓝皮书”已经出版了综合篇、系列专题和英文专题，见表 1。

表 1　“蓝皮书”整体情况汇总

序号	年份	中国电子信息工程科技发展研究——专题名称
1	2019	5G 发展基本情况综述
2		下一代互联网 IPv6 专题
3		工业互联网专题
4		集成电路产业专题
5		深度学习专题
6		未来网络专题
7		集成电路芯片制造工艺专题
8		信息光电子专题
9		可见光通信专题
10	大本子	中国电子信息工程科技发展研究（综合篇 2018—2019）

续表

序号	年份	中国电子信息工程科技发展研究——专题名称
11	2020	区块链技术发展专题
12		虚拟现实和增强现实专题
13		互联网关键设备核心技术专题
14		机器人专题
15		网络安全态势感知专题
16		自然语言处理专题
17	2021	卫星通信网络技术发展专题
18		图形处理器及产业应用专题
19	大本子	中国电子信息工程科技发展研究（综合篇 2020—2021）
20	2022	量子器件及其物理基础专题
21		微电子光电子专题
22		光学工程专题
23		测量计量与仪器专题
24		网络与通信专题
25		网络安全专题
26		电磁场与电磁环境效应专题
27		控制专题
28		认知专题
29		计算机应用专题
30		海洋网络信息体系专题
31		智能计算专题

从2019年开始，先后发布《电子信息工程科技发展十四大趋势》和《电子信息工程科技十三大挑战》(2019年、2020年、2021年、2022年)4次。科学出版社与Springer出版社合作出版了5个专题，见表2。

表2 英文专题汇总

序号	英文专题名称
1	Network and Communication
2	Development of Deep Learning Technologies
3	Industrial Internet
4	The Development of Natural Language Processing
5	The Development of Block Chain Technology

相关工作仍在尝试阶段，难免出现一些疏漏，敬请批评指正。

中国信息与电子工程科技发展战略研究中心

前　言

当前，全球大数据正进入加速发展时期，技术产业与应用创新不断迈向新高度。大数据通过数字化丰富要素供给，通过网络化扩大组织边界，通过智能化提升产出效能，不仅是推进网络强国建设的重要领域，更是新时代加快实体经济质量变革、效率变革、动力变革的战略依托。

大数据是国家基础性战略资源，是21世纪的“钻石矿”。党中央、国务院高度重视大数据在经济社会发展中的作用，提出“实施国家大数据战略”，出台《促进大数据发展行动纲要》，全面推进大数据发展，加快建设“数据强国”。“十四五”时期也是我国全面建成小康社会决胜阶段，是新旧产业和发展动能转换接续的关键时期，全球新一代信息技术产业正处于加速变革期，国内市场应用需求处于爆发期，我国大数据产业发展面临重要的发展机遇。

本书首先简要阐述了大数据的概念和特性，回顾了大数据的主要发展阶段，对我国的国家和地方大数据产业政策进行了详细的梳理，随后介绍了主要国家的大数据政策情况。在大数据技术领域，按照数据的生命周期对数据采集、存储、计算、管理、应用和安全技术的基本概念、主流技术、技术产业现状和未来发展趋势进行介绍。针对数据产业，重点就大数据的产业发展现状和产业主体进行洞察。在大数据应用领域，对大数据对数字经济的整体影响，以及在通信、政务、金融、工业、农业、医疗健康和疫情防控等领域的融合应用进行了简要的分析。最后结合我国大数据发展政策的最新动向及政务数据治理的发展现状，指出进一步促进大数据开放共享、激活数据交易发展的主要问题，并给予相关策略建议。

目　　录

第 1 章　大数据的概念和特性

1.1　大数据的概念

大数据是面向多源异构的海量数据进行采集、存储、计算与分析，并从中提取信息和知识的一系列技术的总称。为了释放更多的数据价值，大数据应用新的技术体系，倡导新的资源观念，催生了一个新的产业生态。

从技术角度看，大数据体现了一种新的数据技术，以分布式架构为主、面向多源异构数据进行分析，在大幅提高处理效率的同时，成百倍地降低了数据应用成本，帮助用户提高数据管理的能力。从资源角度看，大数据代表了一种新的资源观，并开始将数据作为战略资源加以保护。从产业的层面看，以数据及数据所蕴含的价值作为生产要素，通过数据产品、数据技术、数据服务等方式把数据转换为商品和服务的大数据产业已逐步形成。

1.2　大数据的特征

产业界通常认为大数据是具有 4V 特征的数据集合。4V 特征主要体现在数据量(Volume)、类型(Variety)、速度(Velocity)、价值(Value)四个方面。

在数据量方面，根据 Statista 在 2019 年的统计数据，全球大数据的总体体量在 2019 年约已达到 41ZB 的规模，其中1ZB指代十万亿亿字节,约是常用单位TB的10亿倍。另据国际数据公司IDC统计显示，全球近90%的数据将在近年内产生，预计到2025年全球数据量将会较2016年增加到10倍，即由16.1ZB增加至163ZB。

在数据的种类层面，数据已从结构化数据开始向非结构化数据发展，非结构化数据并没有预定义的数据模型或者以某种定义好的方式组织，实际类型纷繁复杂，目前常见的数据类型包括文本、图片、视频、音频等。

在速度方面，伴随着对于数据应用以及服务形式的改变，数据实时结果开始深刻影响业务反馈，对于数据处理速度的要求不断提高，数据从原本的只需静态持久化存储以供查询，转向需要进行大规模批处理，再进一步向今天的实时化数据处理发展。

在价值方面，伴随数据量的爆炸性增长和数据处理性能飞速优化，从前难以想象的计算能力应用于庞杂的数据海洋中，各种深藏海底的价值将不断浮现。

1.3　大数据的发展

学界普遍认为，“大数据”从诞生到发展经历了多个阶段，特别是我国的大数据发展，在全球呈现出快速发展的状态。

1.3.1　萌芽阶段(20世纪90年代至21世纪初)

1997年，NASA在关于数据可视化的研究中首次提出了“大数据”的概念。在此之后，“大数据”首次在*Science*

一篇名为“大数据科学可视化”的文章中以专有名词的形式被提出。在萌芽阶段，大数据仅作为一个概念而出现，并未在具体的数据处理技术上有进一步的探索。

1.3.2 技术快速发展阶段(21 世纪初至 2012 年)

从 2003 年到 2006 年，分布式计算框架、分布式文件系统和数据库提供了一种以分布式存储和计算海量数据的新思路。受此启发，专门开发维护大数据技术的独立项目 Hadoop 诞生了。Hadoop 是一个分布式系统的软件框架，在此之上，用户可以使用简单的编程模型，跨计算机集群对庞大的数据集进行处理。Hadoop 的两个组件分布式文件系统 HDFS 和大数据计算引擎 MapReduce 分别负责海量数据的存储和处理。开源的 Hadoop 推动了大数据的蓬勃发展，一系列建立在 Hadoop 基础之上、用于大规模数据分析和挖掘的工具产品相继出现，大数据技术生态逐渐形成。

1.3.3 产业应用启动阶段(2012～2015 年)

大数据基础技术的成熟推动实际应用和产业的诞生。2012 年开始，商业、医疗、金融、交通等诸多领域开始涌现大数据应用的成功案例，大数据的产业也初现萌芽。

1.3.4 重要战略资源阶段(2015～2019 年)

随着我国全面启动国家大数据战略，大数据作为“钻石矿”成了我国的重要发展资源。大数据技术不断取得进步，与实体经济的融合程度日益加深，成了我国数字经济乃至整体经济发展的重要动力。

1.3.5　关键生产要素阶段(2019 年至今)

党的十九届四中全会正式将数据作为了一种全新的生产要素。这将我国大数据发展推向了新的阶段。在大数据技术和人工智能技术快速迭代的今天，大数据已经成为产业发展和数字经济发展的重要资源，把数据列为生产要素之一，体现了我国的新发展理念，有助于我国经济更顺利、更高质量地发展。

第 2 章　大数据政策概述

2.1　我国大数据政策发展历程

2.1.1　国家大数据战略布局历程

我国大数据相关的产业已在过去十年间取得了长足的发展，数字经济的发展也依托于政策的大力支持。我国将大数据的发展作为国家战略的一个重要组成部分，从 2014 年开始，国家层面的大数据战略经历了以下 4 个主要阶段，如图 2.1 所示。

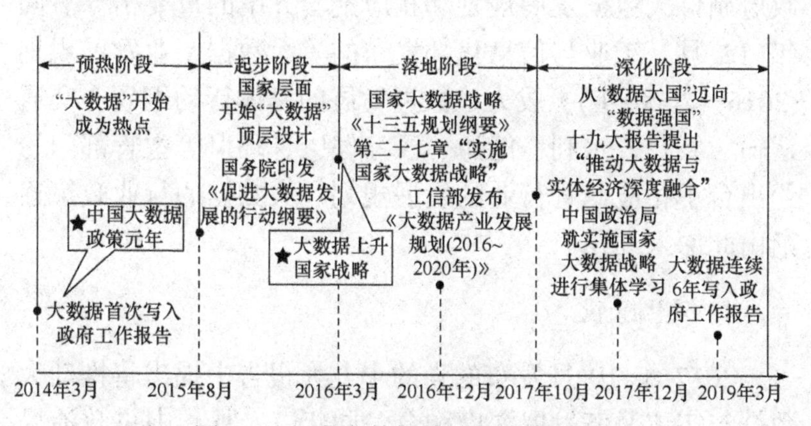

图 2.1　国家大数据战略的布局历程

1. 预热阶段

2014 年 3 月，"大数据"首次在我国政府工作报告中被提出，为我国大数据产业的蓬勃发展提供了良好的政策环境。从 2014 年开始，大数据逐渐得到了地方各级政府和产业参与者的密切关注，我国中央政府也积极为大数据的发展提供政策支持和较为宽松的发展环境。

2. 起步阶段

2015 年 8 月,《促进大数据发展行动纲要》(国发〔2015〕50 号)成为我国大数据的第一份战略文件,在宏观层面部署了大数据产业的整体发展，集中体现了我国在大数据发展方面的总体统筹。

3. 落地阶段

2016 年，《中华人民共和国国民经济和社会发展第十三个五年规划纲要》公布。《纲要》随后成为了我国各级政府制订大数据发展规划和相应配套方案的重要指导。同年 12 月，工业与信息化部发布的《大数据产业发展规划(2016—2020 年)》成为大数据发展的具体行动纲领。交通运输、农林、水利、能源、医疗健康、环保等主管部门纷纷出台了相应监管行业的发展规划，大数据的行业政策逐渐由此深入细化。

4. 深化阶段

2017 年 10 月发布的党的十九大报告中提出将推动大数据与实体经济发展深度融合。同年 12 月，中央政治局就实施国家大数据战略进行了集体学习。2019 年 3 月，政府工作报告第六次提到了“大数据”，并提出了大数据发展的多项任务。

进入 2020 年，数据正式成为生产要素，战略性地位进一步提升。中共中央、国务院发布《关于构建更加完善的要素市场化配置体制机制的意见》，将数据列为第五种全新的生产要素，提出要加快培育数据要素市场。

2.1.2　地方大数据产业政策梳理

自 2015 年《促进大数据发展行动纲要》发布以来，地方政府陆续发布了发展大数据产业的规划文件。我国地方各级政府已就大数据产业的发展重要性达成了共识，并陆续开始了相关的创新探索。我国地方政府的大数据产业政策如表 2.1 所示。

表 2.1　全国 31 个省级行政单位的大数据发展政策

省级单位	政策	发布时间
北京	北京市大数据和云计算发展行动计划	2016 年 8 月 3 日
上海	上海市大数据发展实施意见	2016 年 9 月 15 日
天津	天津市促进大数据发展应用条例	2018 年 12 月 14 日
重庆	重庆市以大数据智能化为引领的创新驱动发展战略行动计划(2018～2020 年)	2018 年 8 月 23 日
广东	广东省促进大数据发展行动计划(2016～2020 年)	2016 年 4 月 22 日
福建	福建省促进大数据发展实施方案(2016～2020 年)	2016 年 6 月 18 日
浙江	浙江省促进大数据发展实施计划	2016 年 2 月 18 日
江苏	江苏省大数据发展行动计划	2016 年 8 月 19 日
山东	关于促进大数据发展的实施意见	2017 年 5 月 23 日
河北	河北省大数据产业创新发展三年行动计划(2018～2020 年)	2018 年 3 月 22 日

续表

省级单位	政策	发布时间
辽宁	辽宁省运用大数据加强对市场主体服务和监管实施方案	2015年10月19日
吉林	吉林省促进大数据发展应用条例	2020年11月27日
黑龙江	黑龙江省促进大数据发展三年行动计划	2017年12月11日
内蒙古	内蒙古自治区大数据发展总体规划(2017～2020年)	2017年12月28日
甘肃	甘肃省数据信息产业发展专项行动计划	2018年6月3日
新疆	新疆维吾尔自治区云计算与大数据产业“十三五”发展规划	2016年12月8日
云南	关于重点行业和领域大数据开放开发工作的指导意见	2017年6月23日
广西	促进大数据发展行动方案	2017年5月22日
贵州	关于促进大数据云计算人工智能创新发展加快建设数字贵州的意见	2018年6月21日
四川	四川省促进大数据发展工作方案	2018年1月4日
青海	关于印发促进云计算发展培育大数据产业实施意见的通知	2015年8月10日
宁夏	宁夏回族自治区大数据产业发展条例(征求意见稿)	2017年5月5日
山西	山西省大数据发展应用促进条例	2020年5月15日
河南	河南省大数据产业发展三年行动计划(2018～2020年)	2018年5月9日
安徽	安徽省“十三五”软件和大数据产业发展规划	2017年1月17日
江西	江西省大数据发展行动计划	2017年7月5日

续表

省级单位	政策	发布时间
湖南	湖南省大数据产业发展三年行动计划(2019～2021 年)	2019 年 1 月 24 日
湖北	湖北省大数据发展行动计划(2016～2020 年)	2016 年 9 月 14 日
陕西	大数据与云计算产业示范工程实施方案	2016 年 6 月 17 日
海南	海南省促进大数据发展实施方案	2016 年 11 月 25 日
西藏	西藏自治区人民政府关于推动云计算应用大数据发展培育经济发展新动力的意见	2017 年 7 月 10 日

从政策发布时间上看，大部分省(区、市)的大数据政策在 2016 年至 2017 年集中发布。在 2019 年后发布的地方政策中，各地在颁布大数据政策时，除注重大数据产业的推进外，也在更多地关注产业数字化和政务服务等方面，这也体现出了大数据与行业应用的结合及政务数据共享开放近年来取得的进展。

此外，80 余个副省级和地级城市设立的独立的大数据管理机构如表 2.2 所示。

表 2.2　省级大数据主管机构

行政区	设立时间	机构名称	隶属机构	机构性质
广东	2018 年	广东省政务服务数据管理	广东省人民政府办公厅	政府部门的管理机构
贵州	2015 年	贵州省大数据发展管理局	贵州省人民政府	政府直属机构
浙江	2018 年	浙江省大数据发展管理局	浙江省人民政府办公厅	政府部门的管理机构

续表

行政区	设立时间	机构名称	隶属机构	机构性质
内蒙古	2017 年	内蒙古自治区大数据发展管理局	内蒙古自治区人民政府	政府直属机构
重庆	2018 年	重庆市大数据应用发展管理局	重庆市人民政府	政府直属机构
江西	2017 年	江西省信息中心 (江西省大数据中心)	江西省发展和改革委员会	政府部门的管理机构
陕西	2017 年	陕西省政务数据服务局	陕西省人民政府	政府直属机构
上海	2018 年	上海市大数据中心	上海市人民政府办公厅	政府部门的管理机构
天津	2018 年	天津市大数据管理中心	天津市网络安全和信息化委员会办公室	政府部门的管理机构
福建	2018 年	数字福建建设领导小组办公室 (福建省大数据管理局)	福建省发展和改革委员会	政府部门的管理机构
广西	2018 年	广西壮族自治区大数据发展局	广西壮族自治区人民政府	政府直属机构
山东	2018 年	山东省大数据局	山东省人民政府	政府直属机构
北京	2018 年	北京市经济和信息化局 (北京市大数据管理局)	北京市人民政府	政府组成部门
安徽	2018 年	安徽省数据资源管理局 (安徽省政务服务管理局)	安徽省人民政府	政府直属机构
河南	2018 年	河南省大数据管理局	河南省人民政府办公厅	政府部门的管理机构

续表

行政区	设立时间	机构名称	隶属机构	机构性质
吉林	2018 年	吉林省政务服务和数字化建设管理局	吉林省人民政府	政府直属机构
海南	2019 年	海南省大数据管理局	海南省人民政府	政府组成部门
江苏	2019 年	江苏省大数据管理中心	江苏省政务服务管理办公室	政府部门的管理机构
四川	2019 年	四川省大数据中心	四川省人民政府	政府直属机构

根据机构隶属关系，地方政府大数据主管机构可以大致分为三类。一是作为政府组成部门。例如，北京市大数据管理局由北京市经济和信息化局加挂牌子，隶属于北京市人民政府，是政府的组成部门。这种情况下，大数据局的行政职能相对较强，级别和权责水平也相对较高。二是作为政府直属机构。例如，内蒙古自治区大数据发展管理局虽隶属于自治区人民政府，但其作为政府的直属机构，更多承担事业单位的相关职能。三是作为政府部门的管理机构。例如，广东省政务服务数据管理局隶属于广东省人民政府办公厅，是政府部门的下属机构。

根据组建模式，地方政府大数据主管机构可以大致分为五类。一是以地方发改委为基础进行组建。这种类型的大数据主管机构较多，其优势在于可以更好地承担地方大数据宏观管理和相关项目的审批职能。二是对政府办公室(厅)的相关管理职能进行创新。这种类型的大数据主管机构的优势在于政府信息化发展经验丰富，对于推动电子政务建设优势突出。三是对政府原有的信息管理中心进行改组。这种类型的大数据主管机构的优势在于直接接触数据资源较多，便于统筹管理区域内的大数据资源。四是以地方经信委/工信厅为基础进行组建。这种类型的大数据主管机构在推动大数据产业发展方面具有得天独厚的优势。五是对原有机构增加相关职能，即原有机构基础上加挂牌子，但可能会专门设立几个承担大数据管理职能的处室。这种类型的大数据主管机构其核心职能仍然是原有机构的主要职能，便于与原有工作的衔接。

由于地方大数据主管机构在隶属机构和组建模式上的不同，其机构职责也不尽相同。大多数机构都包含制订地方大数据战略规划的职能，但在产业发展政策制订、数据资源整合、数据资源开放共享、电子政务系统建设、信息安全、政府网站建设等方面的职能则并非所有大数据主管机构都具备。

2.2　其他国家大数据政策情况

大数据的发展与应用已经对全球社会的方方面面产生了深远影响，各国政府和国际组织都视大数据为重要的战略资源，提出了针对性的发展战略。然而，由于大数据的内涵与外延不断发展变化，随着相关技术与应用的不断发展，各国在大数据方面的政策布局也不断调整。

2.2.1　美国

美国是率先将大数据从商业概念上升至国家战略的国家，通过稳步实施“部署核心技术研究—调整政策法律框架—强化数据驱动体系”的“三步走”战略。

美国从 2012 年 3 月开始提出《大数据研究和发展计划》，要求快速开展大数据核心技术方面的研究，在部分行业积极应用大数据，成立大数据高级督导小组进行整体统筹。

美国在 2014 年 5 月发布了《大数据：把握机遇，守护价值》白皮书，对美国大数据行业应用、美国数据治理的现状、现有制度及政策和发展建议进行了集中呈现。白皮书一方面说明美国政府重视大数据的创新动力，另一方面也警惕大数据相关的消极影响。

随着数据在国家治理中扮演越来越重要的角色，美国政府开始更加重视数据，将关注的核心从单纯的大数据技术转移到了数据资源本身。2019 年 12 月 23 日，美国白宫行政管理和预算办公室发布了《联邦数据战略》，战略主要关注政务数据的治理，对未来十年及 2020 年大数据发展的愿景进行了描述。

2.2.2　欧盟

区别于一般实体国家，欧盟大数据发展战略的出发点更强调成员国之间以技术为导向的数据共享。

2011 年 11 月，欧盟通过“欧盟开放数据战略”提出了多项相关的法律提案。

2017 年开始，欧盟大数据的考量视野从公共数据开放转向发展数据经济。欧盟委员会于 2017 年发布关于欧洲大力发展数据经济的意见稿，并于 2018 年宣布了一系列包括数字健康在内的推进数据经济的举措。对于“数据经济”，欧盟认为其内涵是“由不同类型的市场参与者组成的生态系统”。

2020 年，欧盟进一步推进数据经济，着力打造数据敏捷型经济体。2 月，欧盟委员会发布的《欧盟数据战略》设计了数据经济相关的宏观战略、关键政策和未来五年的数字经济投资计划。

2.2.3 英国

英国自 2012 年开始紧抓大数据产业发展的机遇。首先发布了政务数字化的发展策略，成立数据战略委员会，通过数据的开放共享为公共机构、企业、非营利组织和个人提供数据，并通过促进技术研发、吸纳投资来开发数据资源，从而创造更多就业岗位、促进新兴产业的蓬勃发展。随后于 2013 年进一步发布《英国数据能力发展战略规划》，并提出面向大数据研究领域的 1.89 亿英镑的投资计划，成立了世界上的第一个“开放数据研究所”。

面对脱欧及新冠疫情带来的经济挑战，英国在 2020 年的 9 月发布了《国家数据战略》，期待以数据战略助力经济复苏。该《战略》鼓励英国充分使用数据，设定了五项“优先任务”，着力于利用数字经济的力量促进疫情后国民经济的复苏。这五项任务包括：①释放数据价值；②确保经济增长和建立可信的数据管理制度；③转变政府和公共机构对数据的使用方式，提高行政效率和改善公共服务；④确保数据相关技术架构的安全性和可靠性；⑤促进跨境数据的流动。

除五项优先任务以外，英国《国家数据战略》还囊括了多项其他计划，例如到 2021 年，为 500 名分析师提供公共部门数据科学培训，设立政府首席数据官，提升政府对数据的利用，进而提升公共服务的效率；通过立法提升智慧数据计划的参与度；投资 260 万英镑支持创新发展和解决数据共享障碍等。

2.2.4　日本

日本在大数据领域的发展从开放政府数据起步，经过多年的发展，在各种行业领域逐渐普及应用大数据。2012 年 7 月，日本政府发布《面向 2020 年的 ICT 综合战略》，大数据成为发展的重点。2013 年 6 月，日本发布了《创新最尖端 IT 国家宣言》，明确了 2013 年到 2020 年期间以发展公共数据共享开放为重点的国家战略，重点关注数据开放、数据流通和基于大数据的创新应用。

2.2.5　国际组织

除各国家与政体之外，国际组织也十分重视大数据在全球化发展中的重要性。2020 年 4 月，世界银行呼吁各国政府、相关企业以及学术界共同合作，运用大数据等技术手段应对新冠肺炎疫情所带来的危机。在 2020 年 7 月召开的二十国集团会议中，跨境数据流通成为各国重点关注的议题之一。

在新一轮的国际经贸规则中，跨境数据流通成为全球双边/多边贸易合作的重要议题。一方面，基于共识的全球数据发展同盟加速构建，形成了欧盟《通用数据保护条例》(General Data Protection Regulation, GDPR)和APEC跨境隐私规则体系(Cross Border Privacy Rules, CBPR)两大区域性的隐私数据保护监管体系，众多国家以二者为蓝本，对本国的数据跨境与数据保护规则进行修订；另一方面，两大框架在跨国、跨区域之间催生出诸多创新的解决方案。2019年，日韩分别启动与美国和欧盟的跨境数据双边协定。2020年3月，澳大利亚信息专员办公室与新加坡个人数据保护委员会签订了关于数据跨境流通的备忘录以促进两国之间的经济一体化；2020年6月，英国发布了脱欧后的科技和贸易发展战略，允许英国与部分亚太国家进行跨境数据自由流动，并希望和日本等国家签订更进一步的数据相关发展协议。

第 3 章　大数据技术

根据数据应用生命周期，大数据技术分为数据采集技术、数据存储技术、数据计算技术、数据管理技术、数据应用技术和数据安全技术。本章我们将分节依次介绍各类技术的总体情况、细分技术类别、技术产业现状以及未来趋势。

3.1　数据采集技术

3.1.1　总体情况

数据采集指的是从数据源收集、甄别以及选取的过程。一个完整的数据采集系统可以实现以下几个功能：报表的定义、审批和发布；数据的预处理、评审以及综合查询统计等。数据的采集技术对大数据时代背景下数据价值的利用与挖掘扮演着重要的角色。通过扩大数据采集的范围，全面提升数据审核的及时性与准确性，加速相关产业的管理现代化、规范化，将数据价值发挥最大。

3.1.2　细分技术

数据采集是所有数据系统正常运转的必要前提，随着大数据扮演的角色越发重要，数据采集方面带来的挑战受到越来越多的重视。

1. 系统日志采集

日志数据采集就是把日志数据从产生端移动到存储端或分析端的操作。通常系统日志包含了一个系统运行过程中产生的硬件、软件产生的系统问题信息以及在监听过程中发生的事件信息。用户通过访问系统日志、应用程序和安全日志等索引寻找导致问题的具体原因。

2. 网络数据采集

网络数据采集是指对网络数据的筛选和抓取，利用互联网搜索引擎对信息进行收集和归类。目前网络数据采集主要包括应用程序接口(Application Programming Interface，API)和网络爬虫两种方法。

(1) 应用程序接口(API)

API 采集通过调用程序的接口获取数据。当前的社交媒体平台如百度贴吧、新浪微博等均提供应用程序接口服务。

(2) 网络爬虫

网络爬虫是一段设定好的程序脚本。网络爬虫可分为通用型爬虫、多线程爬虫、主题爬虫等。通用型爬虫如百度、360 等搜索引擎，即通过将网络中的数据和资源进行无差别的提取保存。整个过程包含爬取 URL、提取资源、发送请求、解析网站信息等。多线程爬虫的主要特点是可以同时执行多个采集任务，可以大幅度地增加采集效率与数据采集量。主题爬虫指的是有策略的过滤与筛选和主题相关的有用信息。

3.1.3 技术发展现状

在信息爆炸的时代背景下,如何有效利用大数据至关重要。麦肯锡有研究表明，在核心领域如医疗、制造业等，赋能大数据的应用可大幅度提升劳动生产率 0.5~1 个百分点。

1. 数据采集技术的概况

数据采集技术面临的挑战包括多种多样的数据源、海量数据、保证数据的可靠性、质量以及如何避免重复数据等等。运用分布式架构，企业可以满足大规模的日志数据采集需求。海外企业大多拥有自建的采集系统，例如 Hadoop 的 Chukwa 与 Facebook 的 Scribe 等。我国大部分数据采集产品也多采用了国际开源框架，主流的系统日志和网络数据采集开源框架如表 3.1 和表 3.2 所示。为了避免数据保密方面遇到的问题，一些敏感隐私数据如企业在经营过程中产生的数据通常使用特定的接口进行提取采集。

表 3.1　系统日志数据采集主流开源框架

产品名称	开源时间	语言	主导企业	协议
Flume	2012 年	JRuby	Cloudera	Apache
Fluentd	2011 年	Ruby	Treasure Data	Apache
Logstash	2012 年	JRuby	Elastic	Apache
Chukwa	2011 年	Java	Yahoo	Apache
Scribe	2010 年	C/C++	Facebook	Apache

表 3.2　网络数据采集主流开源框架

产品名称	开源时间	语言	协议
Nutch	2002 年	Java	Apache
WebMagic	2013 年	Java	Apache

续表

产品名称	开源时间	语言	协议
WebCollector	2014年	Java	GPL
Heritrix3	2008年	Java	Apache
Crawler4j	2010年	Java	Apache
Pyspider	2015年	Python	Apache
Scrapy	2011年	Python	BSD

2. 数据采集技术的发展方向

数据采集技术的首要发展方向是更高速的采集。数据产生的速率随着各行各业数字化转型的不断开展将持续增加，随着社交网络的蓬勃发展、可穿戴设备的普遍应用和无人驾驶汽车技术的研发，更丰富多样的数据源也在不断产生，未来数据采集作为数据应用的第一步，必须要提高采集效率以满足产业的发展需求。

数据采集技术的智能化程度将会进一步提升。随着数据产业的发展，数据类型将变得多种多样，数据质量也会参差不齐，数据采集应着力于自动化、智能化地提升采集的效率和质量，为后续数据的分析和利用打下良好的基础。

3.2 数据存储技术

3.2.1 总体情况

数据存储技术是指将计算机运算过程中产生或查找的数据以某种形式记录在计算机内部或外部存储介质上的一

系列工具和方法。在冯·诺依曼模型下，CPU 70%的时间用于与各级存储系统交互。存储系统的速率和大小将直接影响计算机系统的工作效率。

依据摩尔定律,内存系统带宽的年增长速度只有 10%，而 CPU 以每年 60%的速度增长,二者的差距是计算机技术发展的重要瓶颈。经过 70 余年的发展，如今计算机存储系统已经发展为由远程二级存储、本地二级存储、主存、各级缓存及寄存器组成的多级金字塔结构，通过各级存储的交互和配合，计算机系统得以获得多层级、大容量、高速的底层存储支持。

固态硬盘、分布式存储、对象存储、存算分离等新技术、新理念的出现满足了面向海量数据的存储、处理、分析需求，促进了大数据技术体系的完善，存储技术目前开始向着降低成本、增强安全的方向发展。

3.2.2　细分技术

数据存储技术因其各类别间存在交叉覆盖和依赖关系而难以明确统一。一般意义上, 数据存储技术可分为底层存储硬件、软件定义存储和超融合架构三大类别。

1. 底层存储硬件

底层存储硬件指直接对数据进行存储和管理的存储介质，包含随机存取存储器(Random Access Memory, RAM)、硬盘存储(Hard Disk Drive, HDD)、固态存储(Solid State Drive, SSD)和冗余磁盘阵列(Redundant Array of Independent Disk, RAID)等技术。底层存储硬件通过读取和改变磁盘或电子部件的状态将数据记录在存储介质中,通过主控芯片分配逻辑地址与实际扇区，并统一管理接口协议等。

2. 软件定义存储

软件定义存储(Software Defined Storage, SDS)是一种能将存储软件与硬件分隔开的存储架构。不同于传统的网络附加存储(Network Attached Storage, NAS)或存储区域网络(Storage Area Network, SAN)系统，SDS 一般都运行在行业标准系统或 X86 系统上，消除了软件对于专有硬件的依赖性。常见的软件定义存储产品有文件存储、块存储、对象存储及混合存储。

传统存储与软件定义存储相对应，指存储软件与硬件结合的存储架构，是一种专用的存储硬件。随着 IT 产业的发展，应用系统迫切需要更大容量、更高速度和更加安全的数据存储服务。如今，硬件厂商提供的传统存储产品一般以全闪存储、混闪存储及分布式存储为主。

3. 超融合架构

超融合架构(Hyper-Converged Infrastructure, HCI)是指在同一套单元设备中部署网络、计算、存储和服务器虚拟化等资源技术，再融入缓存加速、在线数据压缩、重复数据删除、快照技术、备份软件等元素，使多个节点网络聚合也可实现模块化的横向扩展，形成统一的资源池。

3.2.3 技术发展现状

1. 数据存储产业的发展概况

根据 IDC 发布的《中国企业级外部存储市场季度跟踪

报告》及 2020 年前三季度中国存储市场的统计数据，2019 年度中国企业级外部存储的市场规模已达到 40.8 亿美元，其中全闪存储技术的市场增长率高达 58.6%。2020 年前三季度，中国的整体企业存储市场增长了 12.6%，其中在技术方面，全闪存储的平均增幅达到 20%；在行业方面，金融行业及政务服务的增幅最大；在厂商方面，国内市场份额前三的厂商则分别是华为、新华三和浪潮。

在全球市场方面，根据 IDC《全球企业存储系统季度跟踪报告》，2020 年第三季度企业外部代工存储系统全球市场营收较第二季度有一定程度的回升，但表现依然低迷，整体营收约 68 亿美元，较去年同期下降 1.4%。戴尔技术公司依旧是最大的外部企业存储系统供应商，市场份额为 28.8%。HPE 以 10.8%的市场份额排名第二，华为和 NetApp 均以 9.4%的市场份额排名第三。此外 IBM 的营收同比大幅下滑了 21.6%，跌出前三大阵营。

存储领域因其对硬件依赖程度较高，开源产品应用较少，且主要集中在软件定义存储领域。目前应用比较广泛的开源存储产品有 HDFS、Ceph 和 Swift 等。其中，HDFS 作为 Hadoop 的底层存储套件已被广泛地应用于各类大数据平台中。

2. 数据存储技术产业的发展趋势

当前，存储技术的底层框架已基本成熟。存储技术作为不可或缺的基础设施，技术与产业融合趋势愈发明显。技术发展的方向也开始向提升效率转变，逐步向上层应用聚焦提供各种存储服务，本节将针对当前存储技术的几大趋势进行探讨。

(1) 新型存储介质的广泛应用

存储介质作为存储产品的基础，存储介质的创新能够为整个存储产业带来翻天覆地的变化。以闪存技术为例，新型存储介质实现了对传统介质性能上的全面超越，固态硬盘相比机械硬盘的时延从 2ms 下降到 0.02ms，五年返还率从 13.4%下降到 0.8%，单位功耗从 10W 下降到 3W，因此闪存技术能够为上层业务提供更快、更稳、更高效的底层存储服务。持久性内存作为一种非易失性内存，既可以作为大容量内存使用，也可以作为高性能硬盘使用，为用户提供了一种基于内存和硬盘间的新选择。

目前以闪存和持久性内存为代表的新型存储介质已经逐渐被越来越多的行业用户接受并应用在实际业务中，将会给整个行业带来天翻地覆的变化。

(2) 运维智能化

随着数字化转型的加速,企事业单位都需要更加敏捷地响应快速变化的市场需求。不仅是业务模式，IT 基础架构的革新在其数字化转型计划中也成为非常关键的一部分。现代化的应用、多数据中心、多云及边缘等趋势在加速业务的同时，也为 IT 运营管理带来了巨大的压力。随着企事业单位继续深化数字化转型，IT 会变得越来越复杂，超出 IT 运营团队手动管理的能力范围。由于 IT 基础架构复杂度和规模快速增长，靠人力投入来重新获得 IT 的完全控制管理变得不可维系。IT 运营团队需要利用新的技术来获得完全的控制管理权，基于云的智能运维平台因此应运而生。

智能运维平台基于全球学习、大数据和人工智能技术，提供了智能需求预测、智能风险感知和主动式服务等功能，能够发现基础架构中潜在的风险并给出优化的建议。对于用户来讲，其主要的价值包括云上管理、主动式的问题处理、智能需求预测和智能风险预防等。

(3) 基础设施云化

作为云计算三大领域之一基础设施即服务(IaaS)，通常包含计算、存储、网络三大组件。从 IT 技术发展的变革来看，计算组件的革新得益于 CPU 芯片和计算虚拟化技术的高速发展，相较于存储和网络而言其发展会更为迅速。我国自主研发的天河三号超级计算机，已经可以达到 E 级(10 的 18 次方)的浮点计算处理能力。更高的算力需要更多的数据以及网络吞吐能力，也促进了存储和网络技术的发展。在云计算基础设施中，一切都是虚拟化的，通过虚拟化存储、计算和网络，将通用的物理资源整合池化成逻辑资源，并对外提供服务，这正符合软件决定基础设施的定义。通过软件定义的方式快速实时地将基础设施资源以服务的方式提供给用户，也符合企业在数字化转型中敏捷、灵活、快速、高效的 IT 能力要求。

(4) 平台多元化

芯片、服务器、存储介质、网络等通用技术和产品的发展改变了存储架构，为存储行业发展奠定了基础。SSD 延时已经从磁盘的毫秒级缩短到亚毫秒级(0.1 毫秒)，性能也大幅提升。闪存价格的下降速度比机械硬盘更快，因而可以持续为全行业带来闪存普惠。在芯片领域，CPU 的市场也出现了更多的供应商，例如鲲鹏、飞腾、海光、兆芯、申威等等。存储硬件的通用化使得存储产品可以选择更多的硬件技术，充分利用硬件红利来满足需求，同时也让使用者掌握硬件的自由选择权。

(5) 上下游生态合作

随着数据中心建设理念的演进，软件定义数据中心渐成主流。存储的模式以磁盘阵列等专用设备为主逐渐向基于通用硬件的软定义存储变化。同时，随着系统规模的扩大，传统的 Scale-up 纵向扩展模式也在快速被 Scale-out 横向扩展系统所取代。

在云计算、大数据和互联网+的驱动下，不同类型企业的应用场景不断细分且差异越来越大，加之业务数据飞速增长，对性能和可靠性的要求越来越高。因此企业对存储解决方案提出了新的要求，希望提供商能够针对不同应用场景进行提供定制化的方案。例如，针对虚拟化或云环境，除了对传统的数据量和性能的要求之外，还需要针对虚拟机管理、业务运维或者云管理系统进行优化。对于数据库业务场景，虽然对管理没有过高的要求，但是对性能、稳定性和可靠性的要求则非常高，这些都需要提供商结合不同业务特点提供存储解决方案，这恰恰也是当前用户最需要的。未来厂商需要通过上下游的合作，为用户提供针对各种业务场景的存储解决方案以满足用户差异化的需求。

3.3 数据计算技术

3.3.1 总体情况

数据计算技术是指对数据采集得到的规模化数据按照

一定的算法和模型进行分析处理的技术。

按照时效性，数据计算技术可划分为离线计算技术与实时计算技术。离线计算是在计算开始前即输入数据，在解决问题后即可得出结果。与离线计算相对应，实时计算不要求预先掌握所有输入数据，数据源实时不间断地以序列化的方式一个个输入到计算系统中进行处理。

按照计算策略，数据计算技术可划分为分布式计算和集中式计算。分布式计算把计算任务分成若干个子任务，在多个节点分别计算后汇总结果。与集中式计算相比，分布式计算可以大大节约整体计算时间。

按照计算模式，数据计算技术可被划分为批处理计算、流计算、图计算和查询分析计算。

批处理计算是将一系列相关任务按顺序或并行执行，每次批处理的输出都可以是下次批处理的输入。批处理计算技术起源于谷歌的三大论文，即 Google File System、MapReduce 和 BigTable，其中 2004 年公布的 MapReduce 论文对大数据分布式编程的范式进行了描述，主要思想是将计算任务分解在多个计算节点中同时处理。受此启发的 Doug Cutting 等人用两年的业余时间实现了 DFS 和 MapReduce 机制，为日后以 Hadoop 生态体系繁荣奠定基础。大部分情况下，批处理计算任务按预先设定好的时间间隔执行，因此批处理计算一般常用于统计报表、业务清算、计费应用等场景的海量持久存储的有限数据集，但与此同时也具有处理延迟性较高等的特点。

随着时代发展，企业对数据实时处理的需求愈来愈大，流计算应运而生。该技术通过对海量流动的数据进行实时分析，捕获可能有价值的信息，然后将计算结果传输到下一个节点。相比批处理，流计算具有单次处理数据量小、处理时延低等特点，常用于广告投放、股市分析、交通预警等场景。以 Storm 为代表的最早流计算框架，其优点是数据处理延迟极低，但对吞吐量巨大的场景力不从心，且不能满足“有且仅有一次(Exactly-once)”的处理机制。之后的 Heron 在 Storm 上做了很多改进，但相应的社区并不活跃。同期 Spark Streaming 和 Structured Streaming 可以弥补 Storm 吞吐量小的缺点，但由于其计算模型采用基于内存的“微批”思想，即将流处理视为快速批处理，在实时性方面的发挥仍有所牵制。为同时弥补 Storm 和 Spark 的短板，“批流一体”理念被谷歌一篇名为“数据流模型：在大规模、无界、无序数据处理中平衡正确性、延迟和成本的实用方法”的论文提出，该论文于 2015 年在 VLDB 发表，阐释了谷歌的批流一体(Dataflow)模型。同年，关于 Flink 的一篇名为“Apache Flink：单个引擎中的流和批处理”(Apache Flink: Stream and Batch Processing in a Single Engine)的论文问世，与谷歌“批流一体”的理念不谋而合。批流一体代表性计算框架为 Flink，由 2008 年柏林理工大学研究性项目 Stratosphere 孵化而成，早期用于批处理计算。2014 年正式更名为 Flink，专注流式计算，在 2016 年进入大众视野并被广泛认知，2019 年其母公司 Data Artisans 被阿里巴巴收购并发扬光大。Flink 采用基于操作符的连续流模型，实现了 Google Dataflow/Beam 的编程模型和分布式异步快照算法 Chandy-Lamport 的变体，支持增量迭代，性能与 Storm 相当，且毫秒级计算延迟优于 Spark 的秒级延迟。

图计算是处理大规模图结构数据的技术。在大数据时代，很多数据会以网络或者大规模图的形式呈现。即使是非图结构的数据，也常常在转换为图模型后进行分析。该技术解决了传统的计算模式下关联查询的效率低、成本高等问题，在问题域中对关系进行了完整的刻画，具有丰富、高效和敏捷的数据分析能力，多应用于社交关系分析、反欺诈、反洗钱等场景。在大规模图数据上进行分析并不是最近才出现的需求，超大规模集成电路的设计、运输路线的规划、电力网络的仿真模拟等，都需要将数据抽象成图的表示并用到各种面向图的分析算法。在“图计算系统”的概念出现前，完成这类任务通常需要针对每个场景编写相应的专用程序。借助已有的程序库可以减少工作量，例如大名鼎鼎的 Boost 中包含的专门面向图计算的 Boost 图形库(Boost Graph Library, BGL)和并行 Boost 图形库(Parallel Boost Graph Library, PBGL)。然而，早期的这些面向图计算的程序库缺乏对用户友好的编程模型，需要介入和管理的细节较多，上手难度大，彼时行业内亟需通用的图计算系统。MapReduce 不适合图数据分析的迭代式计算过程，Spark 在计算过程中产生的 RDD 都是不可变的，因此产生的大量中间结果依然会导致不必要的内存占用从而影响能够处理的图数据规模和图计算效率。在后 Hadoop 时代，谷歌发布的 Caffeine、Pregel 和 Dremel 再一次对全球大数据技术的发展产生了深远的影响。Pregel 是以顶点为中心的图计算编程模型，使用批量同步并行(Bulk

Synchronous Parallel, BSP)模型并行/分布式处理，将图计算从单线程扩展到多核进而多机上。同时期卡内基·梅隆大学 SELECT 实验室推出图计算系统 GraphLab，尽管都采用了以顶点为中心的图计算模型，GraphLab 主要采用异步的计算模式，通过多种级别的一致性保证算法的收敛效率，而 Pregel 是典型的同步计算模式。针对实际图数据具有幂律分布的特点，以及异步引入的开销导致性能不够理想的问题，GraphLab 团队此后又推出了 2.X 版本，并更名为 PowerGraph，该团队还推出了 GraphChi，这是第一个将大规模图数据处理应用到普通 PC 上的系统。GraphLab 团队于 2013 年成立了同名公司 GraphLab Inc.，并发布了数据分析框架 GraphLab Create，其底层核心融合了列式存储和图存储模型，能够分析远超内存容量的大规模数据，同时支持分布式的扩展。

查询分析计算是为解决对大规模数据集的关联与查询分析问题而产生的技术，如在 PB 级别的数据中完成秒级查询，主要应用场景有内容检索、交叉对比、深度挖掘等。查询分析计算历史悠久，该技术最早应用于企业内部处理以关系型数据为主的传统数据库及数据仓库，适用于大规模历史数据的多维度聚合查询，代表产品有商业数据库 DB2 和 Oracle，开源数据库 PostgreSQL、Greenplum 和 MySQL。由于当前数据主要以非结构化和半结构化的形式存储，非关系型数据库的代表产品有谷歌的 Dremel、Hadoop 生态组件列存数据库 HBase、商业数据库 SAP Hana、阿里云 MaxCompute，开源 NoSQL 数据库 Cassandra、Clickhouse、InfluxDB、MongoDB 等。

3.3.2 细分技术

1. 批处理技术

批处理计算的代表框架是 Apache Hadoop 的 MapReduce，如图 3.1 所示。在整个 MapReduce 作业的过程中，数据处理部分由 Map、Reduce 和 Combiner 等操作组成。在一个 MapReduce 的作业中必定会涉及如下一些组件：客户端、Yarn 资源管理器、Yarn 节点管理器、负责协调运行的 Application Master、分布式文件系统 HDFS 等。作业运行过程分为如下环节：提交作业、作业初始化、分配作业任务、执行作业任务、更新作业执行状态、作业完成。MapReduce 确保每个 Reduce 的输入都是按照键值排序的。Shuffle 过程是指把 Map 的输出作为 Reduce 的输入。当 Reduce 的输入文件确定后，Shuffle 操作结束，Reduce 会在最后把结果存到 HDFS 上。整个过程主要用到快速排序和归并排序两种算法，其中 Map 任务发生两次排序，Reduce 任务发生一次排序。

2. 流计算技术

流计算旨在满足对流式数据进行实时处理的计算需求。数据在源端不停地产生，经传输后进入计算系统，一经处理，要么被丢弃，要么被归档存储。如图 3.2 所示，持续流处理模式下，处理器连续不断地从数据源拉取和处理数据，以期及时地处理刚到达的数据，满足低延迟的需求。如图 3.3 所示，在微批模式下，输入的数据按照预先定义的时间间隔分成短小的批量数据，流经流处理系统，系统在处理完上一个批次的数据后，开启新一个批次的处

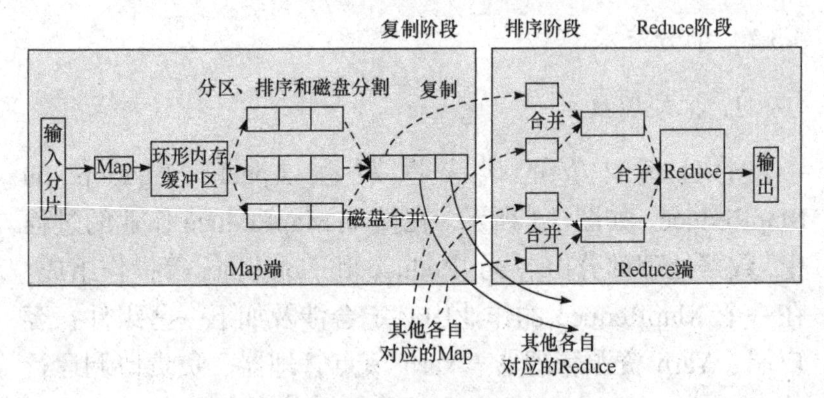

图 3.1　批处理计算 MapReduce 流程图

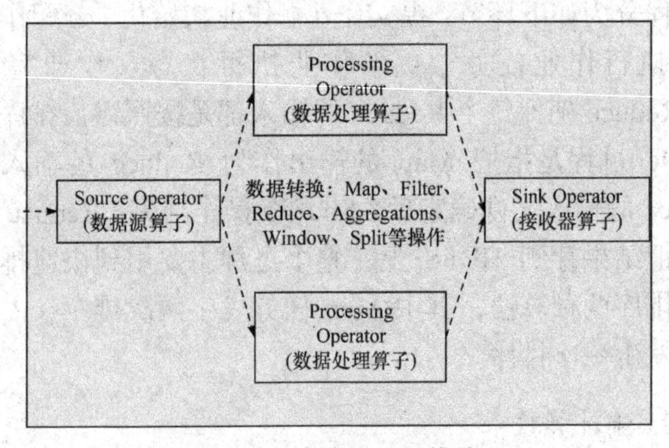

图 3.2　持续流处理模式

理。这种面向吞吐量的设计，虽在满足某些极低延迟要求时有些力不从心，但满足了绝大部分应用场景。流计算代表框架有 Apache Storm、Spark、Samza、Flink。

(1) Apache Storm

Apache Storm 设计了用于实时计算的图状结构，即拓扑。在拓扑提交至集群后，集群的主控节点会通过分发代码将任务分配给各工作节点。一个拓扑中涉及 Spout 和

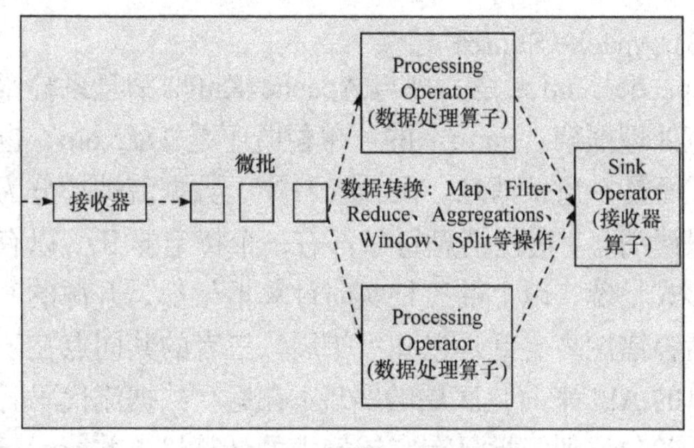

图 3.3　微批模式

Bolt 两种角色，Spout 负责把数据流以 Tuple 元组的形式发出；Bolt 负责完成计算、过滤等操作，把这些数据流进行转换，也可以随机把数据发送给 Bolt。Spout 发射出的 Tuple 属于不可变数组，与固定的键值对相对应。默认情况下 Storm 提供了“至少一次”的处理保证，即确保每条消息至少可以被处理一次，但 Storm 无法确保按照特定顺序处理消息。

(2) Spark

Spark 可同时进行批处理与流计算的工作负载，Spark Streaming 可实现流计算。Spark 是核心 Spark API 的扩展，不同于 Storm 逐个处理数据的方式，而是在处理前按时间间隔预先把数据流切分为多段的批处理作业，并在此基础上运用批处理引擎的原生语义进行处理。Spark 针对持续性数据流的抽象即为 DStream(Discretized Stream)，一个 DStream 是一个微批处理(micro-batching)的弹性分布式数据集，而弹性分布式数据集本身是一种分布式数据集，可以通过滑动窗口数据和任意函数或两种方式并行作业。相比 Hadoop MapReduce，Spark 可以更高效地处理数据集。

(3) Apache Samza

Apache Samza 是一种与 Apache Kafka 消息系统紧密绑定的流处理框架。Samza 的流单位既不是 Dstream，也不是元组，而是一条条消息。在 Samza 中，数据流被切分为一组组的只读消息，这些消息每条都有一个特定的 ID，以有序数列的形式呈现。以上的三种实时计算框架都是开源的，其优点包括容错性高、低延迟和可扩展。三者的共同点在于提供了简单的 API 来简化底层的实现，在运行数据流代码时也可以把任务分配到一批具有容错能力的计算机上并行运行。

(4) Apache Flink

Apache Flink 是一种批处理任务的流处理框架，可将批处理数据作为具有有限边界的数据流，并由此把批处理任务作为流处理的子集进行处理。这种流处理为先的方法也称为 Kappa 架构，与之相对的是更加广为人知的 Lambda 架构。Flink 可配合使用的基本组件包括 Stream (流)、Operator(操作方)、Source(源)和 Sink(槽)。Flink 的流处理能力可以理解事件实际发生的时间并同时处理会话，这意味着可以通过某种有趣的方式确保执行的顺序和分组。Flink 可支持低延迟流处理和传统的批处理任务，高度适用于具有流处理需求极高和具有少量批处理任务要求的组织。这种技术也可在 Yarn 管理的集群上运行，和原生的 Storm 和 Hadoop 程序兼容，因此被称为新一代“批流一体”的计算框架。

3. 图计算技术

图计算框架技术可根据使用机器的数量和是否使用外存作为内存的扩展而分为四个象限：单机内存、单机外存、多机内存和多机外存。各象限中的代表性系统如图 3.4 所示。

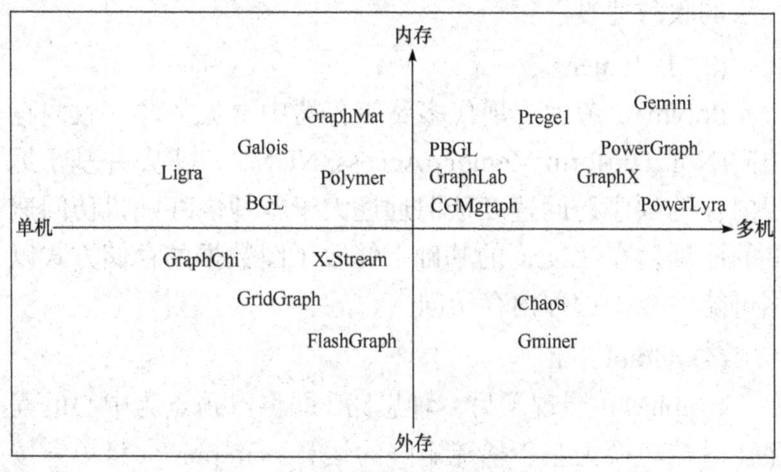

图 3.4　各象限中的代表性系统

(1) Ligra

在单机内存方面，现代的多路服务器可以支持 TB 级别的内存容量，足够容纳边数在百亿规模以下的大部分现实世界的图数据。此时，使用单台服务器完成图数据处理便成为了最直接的选择。Ligra 提供了一套基于顶点集合和边集合的编程接口，用户可以调用两个原语分别对所有活跃的顶点和边(即所有活跃顶点的出边)进行处理，处理的具体内容取决于用户定义的函数。Ligra 支持推送和拉取两种处理模式自适应地动态切换，以在并行图计算环境下处理活跃边集。

(2) Galois

Galois 是一个面向单机内存的图计算系统。相比之前的系统，Galois 让用户可以使用更底层的接口表达原先被编程或处理模型所限制的算法。另一方面，Galois 允许用户针对特定应用，实现自定义的优先调度策略来提高部分算法的收敛速度。

(3) Polymer

Polymer 考虑了现代多路服务器中常见的非一致内存访问(Non-Uniform Memory Access, NUMA)效应，并基于远程内存的顺序访问速度依旧远远大于本地内存随机访问速度的原理，在 Ligra 的基础上修改了图数据的存储方式以尽可能地减少远程内存访问。

(4) GraphMat

GraphMat 展现了另一种思路，即将以顶点为中心的程序在后端转换为基于稀疏矩阵的运算。GraphMat 将矩阵按行划分成若干块后用稀疏矩阵存储格式(Doubly Compressed Sparse Column, DCSC)的格式存储，并在计算时让每个块由一个线程独占地处理。

(5) X-Stream

单机外存方面，搭建并维护一台大容量内存的服务器需要高昂的经济开销。因此，当已有机器的内存容量不足以容纳待处理的图数据时，使用外存来扩展处理能力是性价比更高的解决方案。与之前图计算系统采用“以顶点为中心”的想法不同，X-Stream 提出了以边为中心的编程和处理模型。X-Stream 将顶点分为若干区间，使顶点区间能放入内存中。处理每一组边时，对应的顶点区间的数据将会被缓存到内存中，而边更新则通过流式处理的形式从外存顺序读入或写出。

(6) FlashGraph

FlashGraph 是一个半外存图计算系统，其将顶点数据全部存放于内存中,将边数据以邻接表形式存放于SSD上,并且专门设计了面向SSD阵列的用户态文件系统来管理外存 I/O，利用 SSD 随机访问能力很强的特点，尽可能地避免无效 I/O 来完成图计算任务。

(7) GridGraph

GridGraph 利用图数据天然的二维结构特性,将之前单机外存系统采用的划分方法从一维扩展到了二维，因此顶点数据的更新可以即时生效，而不再需要通过读写边数据或分组写出再读入等方式进行中转,并由此可以实现写 I/O 量的最小化。

(8) GraphLab

尽管面向单机外存的图计算系统让大规模图数据的处理成为可能，但是外存与内存之间的性能鸿沟导致有些情况下用户不得不求助更高效的处理手段，即分布式内存的图计算系统。图存储模式包括点分割和边分割两种。边分割可以节省存储空间，但在对图进行边计算时，对于一条两个顶点被分到不同机器上的边来说，跨机器通信时对流量要求极高；相比而言，点分割可以只对每条边存储一次，因此大幅减少了内网通信量，但与此同时也增加了存储开销。GraphLab 将数据抽象成 Graph 结构，通过借鉴 MapReduce 的思想,将并行计算模型推广到对数据重叠性、数据依赖性和迭代型算法适用的领域。算法的执行过程可以抽象成 Gather、Apply 和 Scatter 三个步骤，并通过控制三个阶段的读写权限来达到互斥的目的。

(9) Graphx

Graphx 借鉴 PowerGraph，其算法并行的核心思想是对顶点的切分，使用的是点分割的方式存储图，其核心是一种点和边都带属性的有向多重图，扩展了 Spark RDD 的抽象，在操作灵活的同时提高了执行效率。

(10) PowerLyra

PowerLyra 采用了一种混合的划分策略，仅对度数较高的顶点使用顶点切割，对于剩下的大部分度数较低的顶点，依旧使用传统的边切割方式进行划分。

(11) Chaos

在多机外存方面，集群的规模会由于场地、资金等因素的限制导致无法无限扩展，因此，对于一些超大规模的图，或是节点数有限的小集群，有时必须使用多机外存的资源才能完成相应的处理任务。Chaos 将 X-Stream 扩展到了多机上，是第一个实现在分布式外存环境下进行高效图数据处理的系统。该技术的出现具有里程碑式的意义，仅仅使用 32 台 32GB 内存的机器便能处理多达万亿级别的超大规模图数据。

3.3.3 技术发展现状

1. 大数据计算产品的发展概况

目前，我国各类大数据产品仍主要基于主流的开源成果，并在原生的开源框架上进行二次开发，以满足不断变化的市场需求。

(1) 批处理和流处理平台

当前，市场上大多分布式批处理平台均基于不同版本的 Hadoop 搭建而成，大多分布式流处理平台则基于 Apache Storm, Flink 和 Spark Streaming 等开源框架。在这些成熟开源的基础上，各厂商辅以必要的二次开发，以满足实现某些运维管理功能、达到特定数据安全标准等特定的客户需求。这些开源计算框架在相当长的一段时间内，使得较为基本和急迫的数据存储、计算需求得到了一定程度的满足。但随着市场需求的变化，传统的计算框架表现出一些无法通过二次开发解决的弊病。此时，基于新的计算理念开发企业自己的大数据计算引擎，成为了大数据技术一个新的发展趋势。

(2) 存储和计算

传统的大数据分布式框架支持资源的水平扩展，促使存储与计算耦合，减少了数据在各节点之间的交换，从而大幅提升了计算的效率。但实际业务中存储与计算能力的要求往往是不断变化且各自独立的，因而两类需求的配比不可预见，两者达到资源瓶颈的时间也往往无法同步。因此，难以避免地存在为了扩存储而带来额外计算扩容和为了提升算力而导致存储浪费的问题。存算分离方案通过将存储和计算两个环节剥离开，进而合理配置资源、有效控制成本。目前，阿里云和华为等云计算厂商，纷纷提供了各自存算分离的解决方案。其中，阿里云使用自有的EMR+OSS 分布式数据库产品代替原生的 Hadoop 存储架构，整体成本费用预计下降 50%。华为则使用了自身的FusionInsight+EC 产品，存储利用率从 33%提升至 91.6%。

(3) 关系型数据库

经过多年的发展，关系型数据库已发展到一个相对成熟的阶段，能基本满足多样的市场需求。根据 DB-Engines 的排名分析，PostgreSQL、SAP HANA、MariaDB、Oracle 和 Google BigQuery 的流行度持续上升，其他主流关系型数据库的流行度均在相当长一段时间内保持稳定水平。

(4) 非关系型数据库：文档数据库

在企业正常的生产经营过程中，产生了大量的非关系型数据。对这些数据进行恰当的存储、管理和价值挖掘逐步成为市场的热点需求。

文档数据库支持无固定格式文档的存取和计算。当很多类业务数据的字段不尽相同时，文档数据库可以保留完整的原始数据以备不时之需。MongoDB 是文档数据库一个典型的开源框架。根据 DB-Engines 排名分析，MongoDB 的流行度持续上升，已成为 NoSQL 的领头羊。国内大多文档数据库产品都是基于 MongoDB 的开源社区版进行二次开发完成的。阿里云是全球最早推出 MongoDB 云服务的云厂商。在 2019 年以后，基于双方的战略合作，阿里云也成为全球唯一可提供最新版本 MongoDB 服务的云厂商。

(5) 图计算

图分析需求的快速增长，使得与图分析相关的多项技术均成为热点的产品化方向，其中以对图模型数据进行存储和查询的图数据库、对图模型数据应用图分析算法的图计算引擎、对图模型数据进行抽象分析的知识图谱三项技术为主。通过组合使用图数据库、图计算引擎和知识图谱，使用者可以对图结构中实体点间存在的未知关系进行探索和发掘，充分获取其中蕴含的依赖图结构的关联关系。根据 DB-Engines 的排名分析，图数据库的关注热度在 2013 年到 2020 年间增长了 10 倍，关注度的增长排名第一。

国外流行的图数据库产品有 Neo4j, Amazon Neptune, ArangoDB, Virtuoso, JanusGraph, TigerGraph 等。国内的云计

算厂商，也纷纷推出了自己的图数据库产品和图计算服务。例如阿里云的GDB、腾讯云的EasyGraph和华为云的图引擎服务GES。国内各学术机构也致力于相关研究，开发出自己的图数据库引擎，例如由北大计算所推出的gStore图数据库和由清华大学自研的TuGraph图数据库。

2. 大数据计算技术的发展趋势

当前，大数据底层技术的框架已发展成熟。大数据技术在数据基础设施的稳定运行方面发挥了重要作用，其发展方向由降本增效逐步向个性化的上层应用聚焦。现今，大数据计算技术的发展重点呈现出以下几点趋势。

(1) 流批一体有效平衡计算性价比

流计算能够实时处理即时变化的数据，批处理能够反馈历史数据聚集的效果。出于对计算实时性和资源需求之间平衡的考虑，业界较早提出了Lambda架构支撑批流同时并行的计算场景。目前API层流批统一正在成为计算技术的一个发展趋势，不断在向更加实时、更加高效的方向演进。实现流批融合的典型混合框架有Apache Spark和Apache Flink。国内阿里云、腾讯云、字节跳动、百度和国外Uber、Lyft、Netflix等公司都使用了Flink的混合框架。2017年由伯克利大学AMPLab开源的Ray框架也有相类似的思想，由一套引擎来融合多种计算模式，蚂蚁金服基于此框架也正在进行金融级在线机器学习的实践。

(2) 事务/分析一体有效支撑即时决策

传统的业务应用在做技术选型时，会根据不同使用场景的需要选择对应的数据库技术。当应用需要对高并发的用户操作做出快速响应时，一般会选择面向事务的 OLTP 数据库；当应用需要对大量数据进行多维分析时，一般会选择面向分析的 OLAP 数据库。产业界当前正基于创新的计算存储框架研发 HTAP(Hybrid Transactional/Analytical Processing)数据库，HTAP 是指能够同时支持在线事务处理和复杂数据分析的关系型数据库。广义的 HTAP 数据库是指能够在关系数据模型上进行 OLTP 时具有强一致性保证，并且融合了分布式能力从而同时具有高扩展性。狭义的 HTAP 数据库是指采用行业混存或行列转化同时支持事务处理和联机分析功能的数据库。

目前 HTAP 系统架构大致有如下四种，第一种是行存为主，内存列存为辅，针对有需要的表会同时存在一份行存储和列存储，在列存储上做分析操作，在行存储上进行更新，定期同步到列存储里，可以灵活指定需要采用行存与列存的表，也可以系统运行时更改表特性。主要难点为哪些数据转为列存、如何用行存和列存回答查询，代表系统为 Oracle。第二种是主机行存、备机内存列存，备机通过日志复制转为内存的列存提供分析能力，代表系统为 MySQL HeatWave，分析型查询由系统查询引擎基于代价估计后决定是否下推到内存列引擎中执行，常被访问的热数据将会留在内存中，不常使用的冷数据将会被压缩后持久化到外存中。第三种是多副本行列共存，通过多副本进行存储，主采用行存，副本采用列存，代表性系统为 TiDB，行存数据存储在 TiKV 中，列存数据存储在 TiFlash 中，行存和列存松耦合，通过异步复制 Raft log 的方式将更新从行存节点同步到列存节点，列存节点不参与 Raft 协议的日志提交和 leader 选举等分布式事务，具有较高负载隔离性和扩展性，数据分析新鲜度偏低。第四种是列存为主，行存为辅。增量数据通过 delta 表定期转为列存，主列存主要处理 OLAP 类分析查询，增量行存负责 OLTP 类事务操作，并直接将更新数据定期合并到主列存中。此类系统因为以列存为主，所以 OLAP 的性能很高，且增量行存直接与列存连接，数据分析的新鲜度也很高。但缺点也很明显，就是 OLTP 处理性能中等，扩展性也不高，负载隔离性很低，代表系统为 SAP HANA，主列存通过压缩、向量执行和 OLAP 多维分析等技术进行查询加速，同时利用 CPU 多级缓存机制优化事务处理。

(3) 流计算从实时分析到赋能业务

技术总是随着需求的变化而不断发展提升。流计算主要应用于对实时性要求比较高的场合，在基本的流式 ETL、实时分析、实时处理各种复杂规则等需求得到基本满足后，流处理将进一步赋能业务，在各种复杂的业务场景下，满足用户的实时性需求。具体地来看，会产出以下几个方向：

流计算可以提供事务支持。对于一个有状态的流处理器，需要对状态做到 ACID 保证，进而保障流处理引擎对线上业务的服务能力。

流处理平台与人工智能相融合。流处理平台支持机器学习算法和一些 AI 类应用，让现有模型与当前的业务数据对齐，反映最新的数据特征，也可利用增量学习，提高模型训练的时效性。流处理平台需要对现有的机器学习算法模型进行实时更新。为了利用现有模型对流式数据进行预测，流处理平台需支持加载机器学习模型，并利用加载好的模型进行实时预测。

(4) 存算分离有效控制成本

大数据技术自诞生以来始终沿袭着基于 Hadoop 或者 MPP 的分布式框架，利用可扩展的特性，通过存储计算资源的水平扩展来适应更大的数据量和更高的计算需求，并形成了具备存储计算、处理、分析等能力的完整平台。以往，为了应对网络速度不足、数据在各节点间交换时间较长的问题，大数据分布式框架设计采用存储与计算耦合的方法，使数据在自身存储的节点上完成计算以降低交互。同时，无论是私有化部署还是云化服务，大数据平台始终以具备数据存储计算、处理、分析等完整能力的形态提供服务。

存储与计算耦合的自建平台造成了额外成本。在存储与计算耦合的情况下，当两者其一出现瓶颈时，资源的横向扩展必然导致存储或是计算能力的冗余，由此必须进行大量的数据迁移才能保证扩展节点的资源得以有效利用，这无疑造成了难以避免的额外成本。同时，以完整产品形式提供服务的大数据平台在应对弹性扩展、功能迭代、成本控制等特性需求时，无论是开发迭代新版本还是集成混搭其他工具，总会引发需求延迟满足、性能持续降低、额外新增成本等其他问题。

存算分离可以有效地控制成本。存算分离是将存储和计算两个数据生命周期中的关键环节剥离开，形成两个独立的资源集合，两个资源集合之间互不干涉但又通力协作。每个集合内部充分体现资源的规模聚集效应，使得单位资源的成本尽量减少，同时兼具充分的弹性以供横向扩展。

当两类资源之一紧缺或富裕时，只需对该类资源进行获取或回收，使用具备特定资源配比的专用节点进行弹性扩展或收缩，即可在资源需求差异化的场景中实现资源的合理配置。

按需索取的处理分析能力服务化概念开始流行。在存算分离理念的基础上，Serverless、云原生等概念的提出进一步助力处理分析等各项能力的服务化。通过存算分离的深入以及容器化等技术的应用，Serverless 概念的落实从简单的计算函数向着更丰富的处理分析能力发展，通过预先实现的形式将特定的数据处理、通用计算、复杂分析能力整合起来以供按需调用。由此，数据的处理分析等能力摆脱了对于完整平台和工具的需求，大大缩短开发周期、节省开发成本，同时由于服务应用由提供方运维，实行按需付费，由此也免除了相应的运维成本。

3.4 数据管理技术

3.4.1 总体情况

数据管理是数据处理的中心问题，它涉及数据的分类、编码、数据存储以及后期维护等重要环节。数据管理技术的发展经历了人工管理、文件系统和数据库系统三个主要阶段。

数据资产管理是数据管理的进阶升级，主要区别可分为以下三方面：第一、两者的管理视角不同。数据资产管理着重数据是一种资产，基于数据资产的成本、收益和价值开展全生命周期管理。第二、管理职能有所区别。数据资产管理包含元数据、主数据、数据质量、数据模型和数据安全等多维度的内容，同时针对当下应用场景、平台建设情况，增加了数据价值管理职能。在此基础上整合了数据的架构、存储以及操作等内容，并将数据标准管理纳入管理职能。第三、管理要求更为严格，组织架构和管理制度更加复杂以保障数据资产管理的流程性、安全性和有效性。

3.4.2　细分技术

数据管理平台内容丰富，主要模块包括元数据管理、主数据管理、数据质量管理、数据标准管理、数据模型管理、数据安全管理、数据价值管理和数据服务管理等等。

数据管理平台往往运用多种管理工具实现相应功能。数据标准管理工具可以提升命名的准确性，统一数据口径；数据模型管理工具有助于解决数据分散且难于管控的问题，例如模型管理分散、模型视图不一致、模型管控低效、模型设计不合实际等多种问题；元数据管理工具用于分析数据资产的分布及产生全过程。

主数据管理工具主要的功能是定义、管理和共享企业主数据信息。通过数据整合工具(如 ETL)或专门的主数据管理工具来实施主数据管理行为。

数据质量管理工具的主要功能是从使用侧监控和管理数据资产的质量。数据安全管理工具是结合信息安全的技术手段保证数据资产使用和交换共享过程中的安全。数据价值管理工具通过对数据内在价值的评估、数据成本和收益的管理，实现数据资产化管理的技术工具。数据服务管理工具是指在数据管理平台上提供数据或数据分析结果的服务，包括企业内部数据共享和外部数据流通，并通过构建服务目录、授权数据服务等方式有效完整地记录数据服务信息，最终生成数据服务报告，展示数据服务的价值。

3.4.3 技术发展现状

1. 数据管理技术产业的发展概况

国际机构 Gartner 连续三年分别发布了元数据管理工具、数据质量管理工具，分析和商务智能工具的魔力象限，总结了各类工具的核心功能，从而有针对性地解决企业在数据资产管理中的问题。由于任何一类工具只能完成数据资产管理的某一项活动，因此供应商往往以数据资产管理工具组合的方式提供服务。数据管理平台作为数据资产管理工具的集成平台，将各类工具以模块化的方式嵌入平台，并通过对各模块建立关联，实现了数据的全流程、多维度管理。

微软、谷歌、亚马逊、Teradata 等大数据头部厂商在早期均有相关的数据管理类产品，但在近五年内，厂商的关注点逐步转移至云计算、云数据库和云数据仓库等。数据管理平台的开源相对较少，根据中国信通院第十一批评测结果显示，使用或参考开源技术的仅有一家厂商。目前，数据管理平台的开源主要集中在元数据、数据建模和数据质量三部分，其开源的使用或参考程度依次递减。

国内多数数据管理类平台的商用时间为 2019～2020 年，如阿里 dataworks(2019 年 2 月)和 dataphin(2020 年 4 月)、华为数据治理中心 DGC(2020)等。大数据厂商在数据管理类工具的产品思路逐步形成以数据治理为核心的统一的数据管理平台。典型代表有华为数据治理平台 DAYU 转向数据治理中心 DGC，百度数据治理平台转向数据湖管理与分析 EasyDAP 等。

国外多数数据管理类平台的商用时间为 2010～2015 年，比国内数据管理类平台的商用时间提前 5～10 年，如 IBM 数据发现平台 IBM InfoSphere Discovery(2010)和 IBM 数据质量平台 IBM InfoSphere QualityStage(2010)等。国外多数数据管理类平台厂商均有相对成熟的数据治理方法论或解决方案。例如 IBM《数据治理统一流程》数据治理 14 步中关于主数据管理的解决方案等。

2. 数据管理技术产业的发展趋势

随着数据资产管理工具变得更加智能敏捷，数据的价值也得到彰显。Gartner 报告指出，商务智能软件的市场在 2018 年增长了 11.7%，现代商务智能平台的增长为 23.3%，数据科学平台增长为 19.0%。随着数据需求变得更加复杂，很多数据的价值被掩盖。数据管理技术借助智能化的分析工具梳理结构化和非结构化数据间的关系可以帮助快速发现问题数据，大大提升数据的可用性。数据管理平台还可以增加潜在数据使用者，提升挖掘数据价值的能力，将有助于最大限度地开发和释放数据价值。

3.5 数据应用技术

3.5.1 总体情况

数据应用技术是指将隐藏于数据中的信息提取、挖掘并呈现出来，使得用户能够获取有用的信息。数据应用技术是数据这一生产要素转化为生产力的重要手段，有利于助力社会经济活动，提升运行效率，提高数据资源的集约化程度。

21 世纪初期，随着互联网产业的迅速发展，数以亿计的网页及海量的用户点击行为，开启了数据量急剧增长的大数据时代。为解决海量数据的存储、计算问题，几乎在同一时期，诞生了谷歌、微软 Cosmos 和开源 Hadoop 为代表的多种分布式技术体系。2010 年开始，随着越来越多的社会资源投入到大数据领域，数据的存储及计算技术经历了蓬勃发展的时期，并已日趋完善成熟。当前大数据的使用早已不再局限于互联网企业及少数高科技公司，而是逐渐深入到医疗卫生、城市管理、物联网应用、金融安全和商业分析等各行各业，在全社会形成“用数据来说话、用数据来管理、用数据来决策、用数据来创新”的文化氛围。如何使数据能用、好用成为各方关注的要点，数据应用技术所使用的场景大致可分为以下几类。

1. 精准营销

传统的企业营销模式中，企业的数据来源仅限于消费者某一方面的有限信息，包括客户关系管理系统中的客户信息、广告效果、线下活动及调查问卷的反馈等。互联网的发展使得信息来源进一步多样化，并出现了使用网站数据、邮件数据、社交媒体数据、地理位置数据等新类型的数据。大数据时代的数据应用技术可以更全面地了解消费者信息，构建用户画像及用户标签，对顾客群体进行更精细的分类，进而对每个群体采取符合其具体需求的定制化行动。

2. 提升效率

大数据已成为电商提升供应链竞争力的重要途径。例如，亚马逊首先提出的“预测试发货”，通过用户历史下单、操作数据和搜索内容预测客户需求，在客户下单之前提前发货至附近仓储，从而极大地提升了配送效率和仓储效能，保证了良好的用户体验。

在工业制造领域中，物联网技术、电子标识技术以及移动互联网技术能为工业企业提供完整的供应链信息。在对这些数据进行分析后，将大幅提升仓储、运输和销售的效率。

大数据的应用也有助于政府公共服务效率的全面提升，政府提出的“只跑一次”、“一号、一窗、一网”式服务就是数据层次上的大数据应用。其重点在于如何高效安全地跨部门、跨地区共享数据，提升服务效率，做到让数据多跑路，让群众少跑腿。

3. 决策支持

传统的机构管理更多依赖直觉及个人经验做出决定。随着机构经济规模的扩大，机构各层次管理者对企业决策提出了更高的要求。大数据时代，数据应用技术被广泛地用于商业智能(BI)，知识图谱及决策支持系统中，通过对海量数据的分析挖掘，并通过适当的图表类型进行可视化，做到让数据说话。

4. 产品优化

客户与企业之间的交互可产生大量数据，对这些数据进行挖掘和分析将帮助客户分析产品需求，创新活动设计等。特斯拉将大数据技术应用到用于辅助驾驶的Autopilot系统中，厂商能够收集车辆行驶时的各种信息，包括车辆的加速度、刹车、电池状况及驾驶时的实时视频等。通过对这些驾驶状况和用户行为信息的分析挖掘有助于帮助工程师了解客户的驾驶习惯，从而对产品进行改进优化。

3.5.2　细分技术

1. 数据分析及挖掘

数据应用技术的核心是处理数据、对数据进行分析和挖掘，进而获取更多深入、有价值的信息。数据挖掘与分析的常用方法主要有分类、回归分析和聚类等。

数据分类是从一个数据集中找出数据对象的共同特点，并映射到一组预先定义的、非交叠的类别的过程。如何构建这种映射关系(分类器)是分类技术所要解决的关键问题。分类器的传统构建方法主要依赖人为制定的经验规则，如按年龄将用户群体划分为成年人、未成年人两部分。随着机器学习、深度学习技术的发展，越来越多的分类器构建采用了基于数据的数理统计、机器学习以及神经网络等方法，极大地增强了分类过程的客观性和颗粒度。

回归分析是对数据的变化趋势进行统计预测建模的主要方法，可以描述评估应变量与一个或多个自变量之间的相关关系。回归分析的要点一是要确立一个线性或非线性的回归模型，二是计算模型参数，用模型对数据进行拟合，使得模型曲线尽可能平滑地穿过数据点，使模型更好地反映数据的变化趋势。参数计算及拟合过程通用的方法有最小二乘法、梯度下降法等。

聚类是按照相似性和差异性把一个数据集中相似的数据划分到一起，广泛地用于用户群体的确立过程中，属于一种无监督学习。其目的在于让属于同一群体的数据相似性尽可能大，不同群体间的相似性尽可能小。数据聚类的方法主要可以分为划分式聚类方法、基于密度的聚类方法和层次化聚类方法等。

2. 数据可视化

大数据时代下，数据量、数据类别和数据复杂程度都出现了井喷式的增长，数据本身或数据挖掘及分析的结果如果仅靠文字描述，往往有失直观、精确，且容易造成信息量的损失。数据可视化所要解决的问题就是如何将数据或数据经分析挖掘后产生的信息通过图表、动态图等形式有效地呈现给用户，从而减少用户阅读与思考的时间，以便用户更好地做出决策。随着大数据时代的到来，可视化产品已经不再满足于对数据进行简单展现，实时性、交互性以及多样性成为了数据可视化发展的重点。

数据可视化有实时性要求。当今社会数据的产生速度是非常迅速的，一分钟内，新浪可以产生 2 万条微博，淘宝可以卖出 6 万件商品，Twitter 可以产生 10 万条推文。数据可视化工具必须能够应对数据量的爆炸式增长，能快速对数据进行收集、处理和实时的更新。

数据可视化有交互性要求。随着数据维度、复杂度的快速增长，以及移动端应用的快速普及，如何将海量的数据呈现于有限的屏幕空间内成为了亟须解决的问题。可视化中的交互式设计，可以缓解有限的可视化空间与数据量过载之间的矛盾。对于高维度数据，交互式可视化可以利用分组进行降维呈现，用户可通过点击单图以获得更细粒度的信息。交互性设计也可以通过对图表进行重排列、切换图表形式等方式提供观察数据的不同视角。

数据可视化需要更丰富地展示信息。传统报表中的可视化通常是 2D 静态图表，信息的输出上仍存在限制。VR、AR、MR、全息投影等技术的出现为高维度数据的可视化提供了新思路。这些技术已经越来越广泛地被应用到了游戏、房地产、教育等行业中，给用户带来完全沉浸式的体验。

3. 数据检索

数据检索技术需要解决的问题是如何从海量数据中挖掘用户关心的信息。在信息量爆炸的时代，让用户逐条浏览一个数据平台产生的所有信息是低效且不现实的，检索引擎是大数据应用能否真正服务于用户的关键。对于结构化数据来说，用关系型数据库对数据进行管理可以为数据检索提供有力的支持。全文检索技术已成为对非结构化数据来说最为重要的发展重点之一。全文检索技术也在继续的发展中，从字符串匹配逐步进阶到可对超大文本、语音、图像等进行检索。

4. 数据共享

数据共享技术解决的问题是如何让处于不同地点，运行不同软件的人员或机构使用数据资源。数据共享可以使更多的用户或机构使用已有的数据资源，减少数据采集等重复劳动，保证数据能被更充分地利用。数据共享的难点在于如何保障数据在共享中的隐私及安全,诸如医疗数据、征信数据等敏感数据对隐私安全的要求非常高，如有泄露可能造成严重后果。其次，数据标准的统一化、规范化也是亟须解决的问题。不同标准的数据共享交换需要大量的资源对系统进行改造、对接。随着近年区块链技术的蓬勃发展，其分布式账本、数据隐私安全、数据精准确权等机制受到了广泛的认可，基于区块链技术的数据共享模式也由此受到了越来越多的关注。

3.5.3　技术发展现状

1. 数据应用技术产业的发展概况

数据应用技术的发展已深入各行各业，中国信通院对1404 家涉及行业大数据应用的企业进行的统计显示，金融、医疗健康、政务是大数据行业应用的最主要的领域，分别占到总体的 30%、14%和 13%。除此之外依次是互联网、教育、交通运输、电子商务、供应链与物流、农业、工业与制造业、体育文化、环境气象、能源行业。

数据应用产业的蓬勃发展依赖于多样且强大的开源工具。数据挖掘的主要开源工具有用于 Python 环境的 Orange、Scikit-learn、基于 R 语言的 Rattle 和用于 Java 开发的 DataMelt 等。数据可视化开源工具主要有用于 web 的互操作套件 CANdela、CSV 图表生成工具 Charted 和用于移动设备的可视化工具 Datawrapper 等。数据检索开源工具有 Lucene，Sphinx，Xapian 和 Nuch 等。

另一方面,各种商务BI平台(如FineBI,亿信WonderBI,Power BI等)、数据挖掘平台(如阿里云Databricks数据洞察,百度数智平台等)、数据可视化平台(如阿里云DataV,袋鼠云EasyV等)的出现降低了数据应用的开发门槛,助力数据应用技术的落地。

中国与以美国为首的西方国家相比,数据应用产业的发展差异并不太大,在政务、金融、电子商务等多个方面处于国际领先地位。但是数据应用技术的开源项目严重不足,国际影响力低。学术方面,数据应用领域国内外差距仍然存在,国内较高影响力的成果仍然缺乏,而美国大型高科技企业的学术贡献显著。例如在数据挖掘方面,2019～2020年影响力排名前10的文章中,谷歌大脑、Facebook AI Research 和英伟达贡献的数量高达8篇。

2. 数据应用技术产业的发展趋势

(1) 分析挖掘非结构化数据将成为重点

非结构化数据在数据总量中的占比超过80%。由于信息量和信息重要程度很难被界定,如何应用非结构化数据也成为了一大难点。深度学习在图像识别、自然语言处理等方面的应用为非结构化数据的开发提供了新的增长点。未来非结构化数据的处理和挖掘也将向更智能的方向发展。

(2) 数据可视化将更加注重用户体验

随着可视化技术发展的日趋成熟,在各行各业的广泛应用,数据的可视化不再局限于枯燥的统计报表,而是逐渐发展成用于分享、沟通和传递信息的一种新媒体传输方式。这就要求数据可视化拥有良好的视觉效果、营造良好的氛围和视觉新鲜感。可视化系统的设计将更多地以用户体验为中心、增强交互性、并相应降低用户的学习理解成本。

(3) 数据检索智能化将成为发展趋势

随着自然语言处理和人工智能领域的快速发展，数据检索智能化成为现阶段的研究重点，也必将成为数据应用产业的发展热点之一。智能化的检索将信息检索从目前关键词的层面提升到了基于知识的层面，检索引擎将可以对知识有一定的理解与处理能力。数据检索的智能化也能够通过分析用户的检索和浏览行为，判断出用户感兴趣的内容，从而提供个性化的检索服务。

(4) 区块链在数据共享中的应用进一步深化

区块链技术在无需信任系统、不可篡改和加密安全性等三个方面有其他数据共享技术无可比拟的优势。随着党和国家对区块链的高度重视，区块链技术也已成为新基建的重要内容和核心技术自主创新的重要突破口。

3.6　数据安全技术

3.6.1　数据安全技术概述

数据安全的概念来源于传统信息安全。在传统信息安全中，数据安全的主要内容是通过安全技术保障数据的秘密性、完整性和可用性。

从数据生命周期的角度划分，数据安全技术包括作用于数据采集阶段的敏感数据发现、数据分类分级、数据标签；作用于数据存储阶段的数据加密、数据备份容灾；作用于数据处理阶段的数据脱敏、隐私计算；作用于数据销毁阶段的无痕销毁；作用于整个数据生命周期的身份认证、权限管理、传输加密、数据活动监控、数据水印、日志审计等等。

3.6.2　数据安全关键技术

当前，在保障数据安全的前提下实现数据价值释放是备受关注的问题。因此，数据处理阶段对应的数据脱敏、隐私计算技术也成为重点研究突破的关键技术。

1. 数据脱敏技术

数据脱敏技术的主要目标是通过变形、转换等脱敏规则降低数据的敏感程度，在数据的采集、传输、使用等环节中最小化敏感数据的暴露。数据脱敏技术包括静态数据脱敏和动态数据脱敏。

静态数据脱敏是通过数据抽取、转换和加载，按照脱敏规则大批量、一次性完成数据的变形和转换处理。静态脱敏通常会在将生产环境中的敏感数据交付至开发、测试或者外发环境时使用，其价值在于在降低数据敏感程度的同时，最大程度上保留原始数据集的内在关联性等可挖掘价值。动态数据脱敏旨在通过类似网络代理的中间件技术，按照脱敏规则对于外部申请访问的数据进行即时处理并返回脱敏结果。动态脱敏通常在对外提供查询服务时使用，为需求方提供即时的脱敏结果。

当前数据脱敏工具主要以商业化产品为主，市场中主要包括三类企业。第一类是信息安全服务商，这类企业从提供完整数据安全体系的角度出发，将数据脱敏作为其中关键一环提供给客户；第二类是满足自身需求的自研企业，主要包括运营商、通信服务商、大型互联网企业等，这类企业从自身数据脱敏需求出发，量身定制适合自己的数据脱敏工具；第三类是通用数据脱敏工具开发商，这类企业瞄准数据脱敏技术的应用前景，致力于开发出满足市场需求的数据脱敏工具，产品可能会直接向企业出售，也可能同安全服务商合作，纳入到数据安全解决方案中一同提供给客户。

2. 隐私计算技术

隐私计算技术致力于解决如何在保护数据本身不对外泄露的前提下实现数据分析计算这一问题，为实现安全合规的数据流通带来了巨大可能。当前，隐私计算技术主要分为多方安全计算和可信硬件两大流派。

多方安全计算类的隐私计算技术是在密码学的理论体系下，应对无可信第三方时进行安全的多方协同计算；可信硬件技术旨在依据对于硬件安全性的信赖，构建一个硬件安全区域，使数据仅在该安全区域内进行计算。在认可密码学或硬件供应商信任机制的情况下，两类隐私计算技术均能够在数据本身不外泄的前提下实现多组织间数据的联合计算，为数据价值跨组织合规流通提供了可行的技术方案。

由于解决的问题十分契合数据流通领域的热点命题，近年来隐私计算技术持续稳步发展，各类市场参与者逐渐清晰。一方面，互联网巨头、电信运营公司以及众多大数据公司纷纷布局隐私计算，这类企业自身有很强的数据业务合规需求，也有丰富的数据源、数据业务、数据交易场景和过硬的研发能力。另一方面，一批专注于隐私计算技术研发应用的初创企业也相继涌现，对外提供算法、算力和技术平台，相关理论技术较为扎实专业，整个隐私计算技术领域开始呈现百花齐放的快速发展态势。

3.6.3　技术发展现状

面向大数据时代愈加复杂的数据现状、不断推陈出新的数据技术和平台架构、层出不穷的创新业务模式，数据安全技术也需要进一步发展演进。数据安全技术未来将向着以下几个方向发展。

1. 结构化数据向非结构化数据处理发展

由于非结构化数据已经取代结构化数据成为增量最多的数据类型。因此，数据安全技术关注对象也将逐渐从结构化数据向非结构化数据倾斜。以数据脱敏技术为例，传统掩码、替换等脱敏算法难以直接应用在图片、视频、音频等主要非结构化数据上。与此同时，智能数据应用对涉及隐私的非结构化数据的挖掘愈发普遍，当前针对结构化数据的脱敏技术无法满足对非结构化数据的脱敏要求，因此，针对非结构化数据的脱敏技术将成为未来重点发展的方向。

2. 模式从单点防护转向分布式系统防护

由于在数据规模不断扩大的背景下，数据平台及系统纷纷从集中式架构变化为分布式架构，由于分布式架构导致的额外系统内节点间通信及数据传输，数据安全防护从只需要保证系统对外边界的安全防护，变化为需要额外确保节点间通信安全及系统内数据传输安全，传统基于单点防护的模式也逐渐转向适用于多节点的分布式架构的系统防护技术。

3. 隐私保护从单一数据源取用转向联合计算

在各组织均持有一定数据，亟需通过数据共享流通发挥数据价值的情况下，由于隐私保护的愈加重要，直接从数据源进行数据取用或者以数据传输方式进行数据流通的方式变得不再可行。基于安全多方计算的隐私计算技术能在数据本身不外发的情况下在多个参与方之间完成联合计算，能够有效地保证在数据无外露风险的情况下实现数据的流通及价值的释放。由此未来隐私数据保护技术逐渐收敛至能够在保证安全的前提下进行关联计算的隐私计算技术。

3.7 大数据技术的融合趋势

大数据技术的内涵伴随着传统信息技术和数据应用的发展不断演进，市场对产品的需求也从基本的存储、计算、处理等基础能力延伸到成本、安全、高可用等其他领域。对于规模大、性质复杂的数据进行统一存储使用的需求催生了数据湖的概念。同时，随着云计算技术的深入应用，带来资源集约化和应用灵活性优势的云原生概念产生。近年来，大数据技术在各行业得到普遍应用，随之而来的数据安全问题也受到广泛关注。当打破数据孤岛，促进数据流通成为一个必然趋势时，隐私保护问题也成为一个热点的研究领域。

3.7.1 数据湖产品化

近年来，数据湖概念火热，其本质包括为异构数据提供集中式存储、用户可按原样存储数据、并对湖内数据运行不同类型的分析。因技术架构上的灵活性和开放性，数据湖概念一经出现，就受到了持续关注，并随着相关技术的成熟，付诸实践，成为企业构建大数据平台的关键技术。

数据湖产品化进程中，除保留灵活、开放的基本特性，还提供数据管理与治理、安全、分布式等多种能力，并集成多种数据处理引擎，为企业级大数据提供一站式地开发运营平台。虽然数据湖本身与上云无关，但随着云原生时代的到来，充分利用公有云的基础设施，使得数据湖产品有了更多的技术选择。

当前的数据湖技术因其架构过于灵活，在性能效率、安全控制以及数据治理上并不十分成熟，在面向企业级生产要求时还存在一些挑战。为了解决上述问题，避免企业陷入“数据沼泽”的境地，许多产品和项目尝试将数据湖与数仓进行融合。对湖内数据进行监管、控制和必要的治理，降低运维成本，高效提炼数据价值。

3.7.2 利用云原生思想进行能力升级

2006年，云计算开始发展后，传统的大数据产品逐渐从私有部署转为云上部署，但变化主要集中在部署模式的不同，并未充分利用云计算理论为大数据技术本身赋能。云原生概念的兴起，将云资源的弹性和分布式等优势，与大数据产品的开发、部署和应用相结合，真正实现了效率的提升。

云原生架构在存算分离的基础上，伴随有调度、安全、解析等模块的进一步解耦，各模块与容器等底层资源单元适配，分别实现弹性扩缩容，进而实现整体资源利用率的提升。多云部署的理念方便了客户在多云之间无缝迁移，降低客户被单一公有云绑定的风险。应用接口函数化，是将数据服务、机器学习、数据集成等能力封装成函数接口。此基础上，用户可根据实际业务需要，实现更细粒度的按需使用和按需付费，达到降本增效的作用。

3.7.3　利用开发平台释放业务潜能

随着数字化转型的推进，各行业在完成数据基础设施建设后，为业务赋能的数据开发工作成为研究重点。随着数据开发任务由技术部门向业务部门延伸，亟需降低数据开发工作的技术门槛，帮助业务人员快速上手，加快数据赋能业务的整体进程。

数据开发平台是利用低代码的思想，将大数据开发过程中常用的技术和流程进行抽象和可视化展现，同时对用户屏蔽底层的技术细节，为大数据提供全链路的开发运营。数据开发平台构建于多种大数据采集、存储、计算、管理引擎和工具之上，可用于完成数据的收集、管理、分析等数据价值挖掘工作。在相关设计理念的指导下，开发平台不仅可以提升数据开发流程的透明度和规范性，而且可以推动不同组件在项目间的复用，最终降低数据的开发成本。

3.7.4　加强产品的安全能力

随着数据价值得到广泛认可，越来越多的组织和个人从攻击数据平台，窃取平台数据中获益。云计算和大数据的广泛应用，基于已知威胁的传统安全模型难以适应新型攻击技术的节奏。此背景下，大数据产品的安全能力受到前所未有的关注，成为用户进行产品选型的重要考虑因素。

数据产品需具备的安全能力通常包括数据权限管理、数据分类分级、数字水印、敏感数据识别与脱敏、数据风险审计、数据加密、传输链路安全、身份认证等。企业大数据平台要对内外部攻击进行识别与防御，对系统漏洞进行发现与及时修复，切实保障流经平台的数据安全。

近年来，零信任概念兴起，并逐渐被引入到数据安全技术体系当中。零信任的核心理念是，在公司网络内、外部均不设置安全区域或可信用户，而是将企业内、外部的所有操作均视为不可信任的。围绕零信任的概念、设计、实施，各界提出了多种解决方案，成为当下一个热门的研究方向。

3.7.5　隐私计算保障数据的安全流通

在数字经济时代下，通过跨领域、跨行业、跨地域机构间的数据流通来释放要素价值成为一个必然趋势。面临数据的融合需求时，如何防止数据泄露、盗用和滥用，保护国家机密、个人信息、商业秘密等数据安全问题仍然是机构参与数据流通时面临的难题。近年来，隐私计算被认为是最有希望解决跨机构间数据有序流通问题的一类关键技术。

从技术原理上来看，隐私计算是涵盖众多学科的交叉融合技术。目前，隐私计算已逐渐形成了以多方安全计算、联邦学习、可信执行环境为代表，混淆电路、秘密分享、不经意传输等作为底层密码学技术，同态加密、差分隐私等作为辅助技术相对成熟的技术体系。

自 2018 年开始，国内隐私计算进入了快速启动期，投入研究和发布相关产品企业数量几乎呈指数型增长。越来越多的行业客户开始进行应用尝试。2021 年，隐私计算正在迎来市场爆发期，政府多部门发文鼓励隐私计算的研究和应用。在行业火热发展的同时，也应该注意到隐私计算技术本身尚未完全发展成熟。此时，要开展扎实的技术研究，优化产品的性能。产业侧、政策方和高校应尽早布局领域人才的培养工作。研究机构应推进产品标准的制定，为产品研发、服务/方案的提供指明方向，从而进一步推广隐私计算的实际应用。

第 4 章　大数据产业

4.1　大数据产业概念探讨

4.1.1　概念定义

大数据产业指以数据生产、采集、存储、计算、管理、使用方面的一系列经济活动。从技术角度可将大数据产业理解为与数据源、数据的组织管理、数据存储、数据分析技术、数据交易、数据应用等相关活动。

4.1.2　大数据产业概述

随着大数据技术和应用的演进和深化，大数据产业正在加速蓬勃发展，产业生态日益完善。自国家大数据战略实施以来，我国大数据产业成绩斐然，但产业内涵、外延与特征等产业相关的基本问题仍尚未在业界达成共识。厘清大数据产业范畴和体系结构，区分大数据产业核心要素与关联要素，对于推动大数据产业发展起着十分重要的基础作用。

出于理解视角的差异，大数据产业内涵的界定目前仍有争议。一类观点从产业经济学出发，认为大数据产业是以大数据为出发点和落脚点，通过对自身生产或从外部获取的数据进行挖掘、应用以创造价值的经济活动集合。但也有一类观点认为大数据只是现代信息技术产业中的一部分，因为大数据的本质是在互联网、软件、计算机等基础上实现的数据服务，其围绕的数据采集、传输、加工、分析、应用等一系列活动仍包含于现代信息技术产业的范畴之内。

从大数据的价值体现出发，我们认为大数据产业是以数据及数据所具有的价值为核心，通过大数据相关技术、数据服务、数据产品等形式，使数据价值在各场景中充分释放的赋能型产业。

4.1.3　大数据产业分类

大数据产业分类从目前已有研究基础和行业实践来看，有四种分类方法，分别是第一类三分法、第二类三分法、四分法和五分法，其中，第一类三分法是目前业内普遍认可的分类方法。

1. 第一类三分法

传统的大数据产业一般分为核心业态、关联业态和衍生业态。核心业态是主要包括数据采集、数据流通、数据安全、数据基础设施、数据产品、数据服务等围绕数据全生命周期的技术与业务；关联业态是以软件、电子制造为代表，涉及集成电路、智能终端、软件等大数据产业相关的软硬件；衍生业态是涉及政务、农业、工业、金融等行业的融合应用。

2. 第二类三分法

大数据产业还可被分为基础支撑、数据服务和融合应用。基础支撑层包含网络、运算和存储等硬件设备，资源管理平台整合了数据处理、分析和展示等相关的工具；数据服务层是围绕具体应用的需求，提供包括数据采集与处理、数据分析与可视化、数据流通、数据安全等辅助性服务；融合应用层则包含了与政务、金融、交通等行业密切相关的应用和整体解决方案。

通过对比，不难看出以上两种分类的本质几乎一致。核心业态与数据服务、关联业态与基础支撑、衍生业态与融合应用之间相互一一对应，后一种分类可以看作是围绕前者描述的具体展开。

3. 四分法

部分观点认为以上两种分类较为笼统，并未将数据资源明确纳入到大数据产业的相关业态中，而数据资源应是大数据产业链条的起始点，不可忽略。基于这样的观点，有学者提出基于数据价值的实现流程，应将大数据产业分为大数据资源供应、大数据设备提供、大数据技术服务和大数据融合应用四层。这一分类方式是在沿用上述两种分类的基础之上，将基于互联网、物联网等信息技术渠道大量产生并提供数据资源的经济活动单列出来，成为大数据产业链条的第一层。

4. 五分法

按照产业的价值实现路径，大数据产业可被分为内生型、外生型、寄生型、产品型和云计算型。不同大数据产业分类方式之间的对应关系如表 4.1 所示。

表 4.1　不同大数据产业分类方式间的对应关系

分类方式	层次名称与定义			
三分法(一)[1]	核心业态 指围绕数据的全生命周期、大数据技术和大数据核心业务所形成的产业业态，包括大数据的采集、存储、计算、流通、安全、管理、应用和平台的建设运营	关联业态 指与大数据核心业态紧密联系的大数据产业链上下游信息产业，具体包括智能终端、集成电路、电子材料和元器件、电子商务、互联网金融和服务外包等	衍生业态 指大数据、互联网+在各行业、各场景的应用所产生的业态	—
三分法(二)[2]	数据服务 围绕各类应用和市场需求，提供辅助性服务，包括数据交易、数据采集与处理、数据分析与可视化、数据安全等	基础支撑 包括网络、存储和计算等硬件设施。资源管理平台以及与数据采集、分析、处理和展示相关的技术和工具	融合应用 包含了与政务、工业、交通等行业紧密相关的应用软件和整体解决方案	—
四分法[3]	大数据技术服务业 贯穿大数据产业链的软件及技术服务提供方，包括前端采集、数据清洗、大数据管理分析平台建设、商务智能挖掘等围绕数据提供的相关技术服务及软件研发	大数据设备提供业 贯穿大数据产业链的硬件设施提供方，包括光缆、网络设备、高核能计算机、大数据一体机、集成电路等大数据所需的硬件设备的设计、制造、租赁、批发和零售等	大数据融合应用业 大数据产业链后端的数据应用方，包括与互联网、金融、交通、政务等行业的融合，为不同行业提供相应的服务和解决方案以实现经济目标	大数据资源供应业 大数据产业链前端的数据资源提供方，包括移动互联网行业、金融业、电信业、交通运输业等能够产生并拥有大量数据资源的行业

续表

分类方式	层次名称与定义				
五分法	内生型价值模式 自身生产数据，服务于企业自身的产品和服务	外生型价值模式 自身生产数据，以授权、租赁方式供其他企业使用	寄生型价值模式 不产生数据，企业具备数据挖掘能力，提供专业咨询服务	产品型价值模式 不生产数据，提供与大数据相关存储、检索、分析等硬件和软件服务	云计算服务型价值模式 不生产数据，依托云计算直接向用户提供基于大数据生成、存储、分析、检索、分享、消费等服务的平台

4.2　大数据产业发展

自 2014 年，大数据第一次写入政府工作报告中开始，我国大数据实现了包括政策制度、组织机制、技术产品、产业生态、安全治理和支撑配套等全范围的快速增长。在国际层面，大数据产业发展已在全球范围内铺开。

4.2.1　我国大数据产业发展

1. 我国大数据的发展现状

我国大数据产业已进入全新的发展阶段，产业规模逐渐扩大。大数据产业从基础设施向产品服务转变的趋势将更为显著，面向政务、交通、金融、民生等领域的产品和服务将持续创新，应用的商业化成熟度也将继续提升。

(1) 2020 年大数据企业数量平稳增长

根据中国信息通信研究院发布的《2020 年大数据白皮书》，当前我国的活跃大数据企业共有 3242 家[4]。大数据企业的快速增长阶段出现在 2013 至 2015 年，增长速度在 2015 年达到最高峰。2015 年后，市场日趋成熟，企业新增开始趋于平稳，大数据产业走向成熟。

(2) 10～100 人的小型企业占主导

我国目前大数据领域的企业超 3000 余家，而超 70% 的大数据企业为 10 人至 100 人规模的小型企业，大数据企业数量的增长情况如图 4.1 所示。这一方面显示出我国大数据企业的布局仍然处于产业发展初期，一方面也彰显出大数据企业正在成为我国创业创新的重要力量。政策上伴随“新基建”成为拉动国内经济发展的新一轮驱动力，大数据中小企业面临的外部市场环境和依托的基础设施也发生重大变化从而影响企业规模分布。

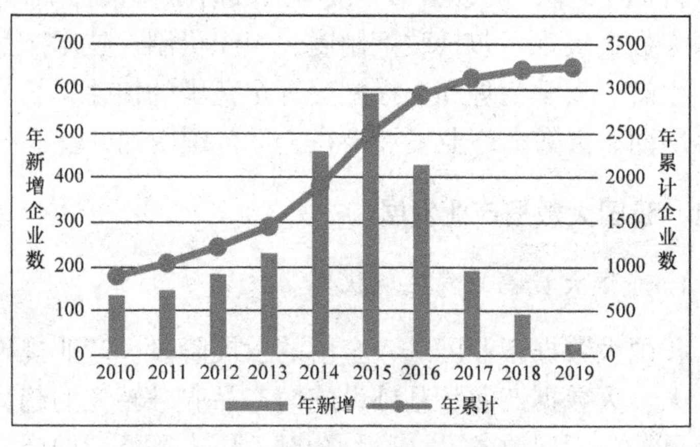

图 4.1 大数据企业数量增长统计

(3) 地域分布以北上广为主

由统计可知，我国大数据企业地域分布以北上广为主(具体数据如图 4.2 所示)。京津冀区域内各省市依靠良好的产业基础、科研实力、地理位置和交通优势，在信息产业领域形成了竞争优势，发展出了各具特色的信息产业集群。受政策环境，人才创新，资金资源等因素影响，北京大数据产业实力雄厚，大数据企业数量约占全国总数的 35%。2020 年，随着数字经济发展热潮兴起、数字中国建设走向深入，我国的大数据产业进一步蓬勃发展，各地方政府更加重视大数据与地方经济转型发展的紧密结合，积极探索由数据驱动的政府服务模式创新。

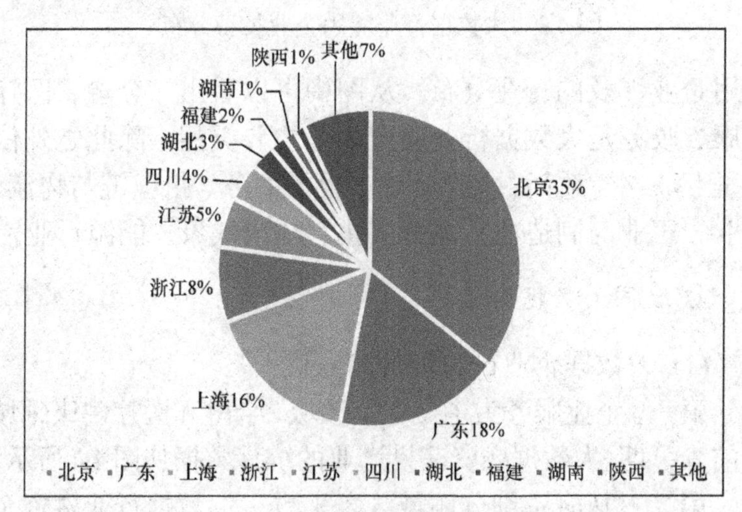

图 4.2　大数据企业地域分布

(4) 行业应用领域丰富

根据大数据企业的业务标签，将 1404 家涉及行业大数据应用的企业进行了统计整理。图 4.3 显示出大数据行业

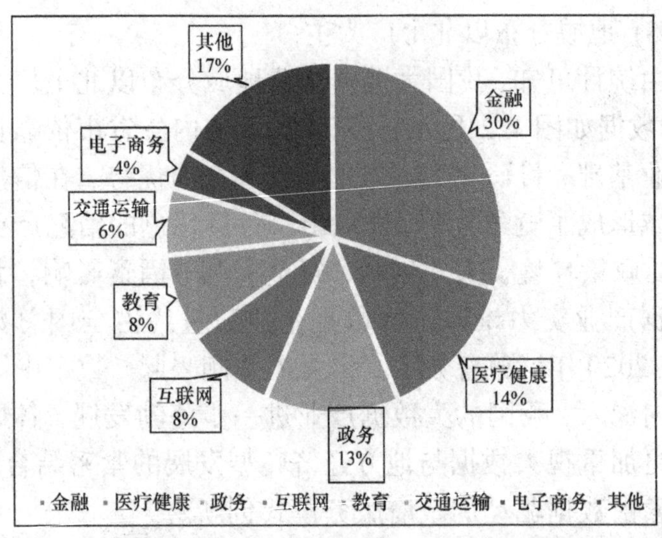

图 4.3　大数据行业应用企业类型分布

应用企业涉及的行业分布。从图中可以看出，金融、医疗健康、政务是大数据行业应用的最主要类型。除此之外依次是互联网、教育、交通运输、电子商务、供应链与物流、农业、工业与制造业、体育文化、环境气象、能源行业。

2. 我国大数据发展的趋势

(1) 大数据企业投融资日趋旺盛

第一，企业服务为主要融资领域，金融和医疗健康领域的前景可期。大数据融资获投产业的统计数据如图 4.4 所示。

第二，从融资细分领域分布来看，大数据行业融资企业分布在近 20 个领域，大数据行业迎来历史新机遇，在企业服务、医疗健康、金融等垂直细分领域的大数据应用展现出巨大潜力。大数据产业增量蓝海市场正在逐步打开，截止到 2019 年，企业服务领域的企业获投占比最高为 62%，

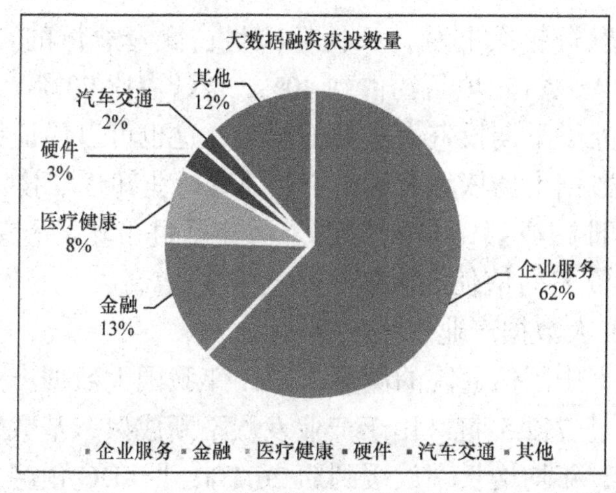

图 4.4　大数据企业赛道分布

金融行业次之为 13%，医疗健康为 8%。随着互联网与移动互联网的进一步普及渗透，以及 IT 基础设施的逐步完善，企业服务市场仍将继续扩大。

第三，B 轮之后竞争加剧，初创公司经受考验。大数据产业获投轮次的分布情况如图 4.5 所示。

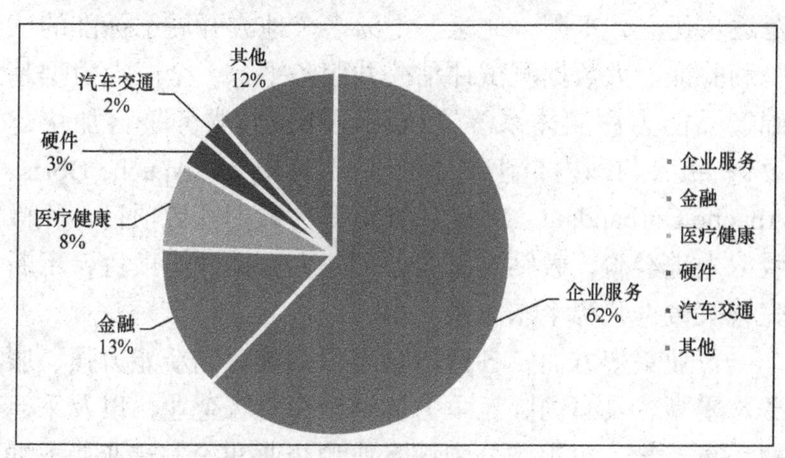

图 4.5　大数据获投轮次分布

从融资轮次上看，天使轮项目占融资总体的 33%，Pre-A、A、A+轮项目约占到 40%，合计占比 73%。大部分企业仍处于早期投资占主导的阶段，这也可以佐证投资机构对大数据市场依然充满信心。随着行业知识、技术架构等方面日趋成熟，早期初创公司经受过市场的检验，赢得了投资人的信任，融资估值也日趋增高。

(2) 大数据产业规模不断扩大

根据中国信通院的测算，2021 年我国大数据产业规模预计超过 712.5 亿。由于产业发展不断成熟，基数规模持续增长，年均增长率放缓到约 26.4%，据 IDC 预测，2020 年我国大数据相关市场的总体收益约为 104.2 亿美元，同比增长 16.0%，增幅领跑全球大数据市场。

(3) 大数据公共服务和产业集聚逐步升级和完善

标准体系方面，《数据管理能力成熟度评估模型》，简称 DCMM(Data Management Capability Maturity Assessment Model, GB/T 36073-2018)等一批具有前瞻性的标准规范逐步建立，贵阳、北京、上海多个地方开展了标准的试验和验证。大数据测试评估公共服务平台、全国大数据基础产品能力评测体系等测试认证和公共服务平台加快建设，积极参与国内企业主导的 Apache Kylin、Apache Doris、Apache Corbandata、Flink、Tidb 等大数据开源项目，积极吸取先进经验，鼓励本省企业创建大数据开源项目，不断完善大数据开源生态体系。

产业集聚方面，各地培育出一批具有创新能力强、服务水平高、具有国际竞争力的综合型龙头企业，以及采、存、算、管、用等细分领域专业型企业和深耕行业业务的融合型大数据企业，初步形成了龙头企业引领、上下游企业互动的产业主体发展格局。8 个国家大数据综合试验区和 11 个大数据国家新型工业化产业示范基地建设深入推进，中关村大数据产业园等产业载体加快建设，持续引领全国大数据发展。

(4) 大数据产业与新基建要求协同发展

新型基础设施包含融合基础设施、信息基础设施和创新基础设施。数据本身并不属于新型基础设施的一部分。但云计算、数据中心、5G 网络、人工智能、区块链的相应基础设施，都离不开大数据的支持，也将产生更多的数据。因此，新型基础设施建设战略对于大数据的发展可以从以下几个协同入手：

大数据与 5G 基础设施协同。一方面，在 5G 基础设施的推动下，数据的采集量更大，传输更快捷。另一方面，5G 基础设施也会全面促进数据分析技术的发展，比如推动流处理技术的发展就是一个比较明显的变化。数据量越来越大、数据维度越来越高、数据格式越来越丰富等等，均会促进大数据技术的不断发展。

大数据与数据中心协同。政府集中化政务数据中心、互联网数据中心主要面向公众或其他部门提供服务，更具有公共基础设施属性。新型数据中心在整合目前已有的中小型数据中心的基础上，向区域性大数据中心进行聚合，建设模式集约高效，网络和服务器支撑能力显著增强。适当增加边缘计算中心的建设，优化数据中心总体布局，推进新能源和液冷技术应用的广度和深度，推动新型数据中心优质、绿色、高效发展。

新型数据中心基础设施为大数据发展提供了建设运营模式多样的物理基础设施。特别是国家一体化大数据中心，是数据中心与大数据结合的重要里程碑。

大数据与物联网基础设施协同。物联网基础设施的发展将推动大数据的量和种类两个维度的不断丰富。利用物联网基础设施，采集渠道会越来越多(例如联网智能汽车、物联网、智慧城市等)，采集的数据量也得以更大，涉及的数据维度也会越来越高，这些都可以为数据价值的充分挖掘提供坚实的技术基础。

4.2.2 国际大数据产业发展现状和趋势

1. 国际大数据产业发展的典型特征

据全球著名咨询机构 IDC 测算，2019 年全球大数据产业产值从 2015 年的 1220 亿美元增至 1870 亿美元。与此同时，国际大数据产业的发展正呈现出以下几条典型特征。

开源大数据的商业化持续提升。闭源软件在数据分析等领域的市场占有率不断下降，头部 IT 产品提供商正在转变商业模式，积极拥抱开源，同时也着力帮助客户向开源、上云的产品迁移。

大数据细分市场规模进一步增大。大数据技术的发展创造出新的细分市场机会。例如数据分析和处理高级数据服务、社交网络大数据分析等领域的市场想象空间巨大。

大数据拉动并购的数量和规模持续提升。未来大型 IT 厂商将可能会为了补全大数据产品线而开展并购，Hortonworks 与 Cloudera 的并购就是一个典型的例子。我们预测首先开始的领域是数据分析管理软件、预测分析和数据可视化等。

2. 大企业在大数据产业发展中发挥重要作用

利用大数据资源和技术创造更多价值，成为国外大企业开展大数据应用创新的重要动力。围绕既有的资源禀赋和竞争优势，企业进行着各种大数据产业创新，探索出大数据背景下适合企业自身发展的路径，也在此过程中不断推进大数据产业的持续进步。

一方面，传统硬件厂商开始向大数据基础设施和技术平台提供商转型。IBM 公司从传统的服务器与存储硬件产品开始，陆续推出数据库、数据分析应用、DB2、Informix、InfoSphere 等产品，Cognos 与 SPSS 等大数据分析应用类产品，并在此过程中引领美国大数据产业的发展趋势。

另一方面，诸多新型互联网企业成为数据资源的集聚方，通过创新形成大量的数据产品以服务于各类应用场景。与此同时，业务发展的需求也不断为技术的发展提出新的要求。因此，互联网巨头企业成为国外大数据产业的重要创新源泉。例如 eBay 公司用数据驱动商业，其所有的数据产品都是针对业务而生，数据部门需要为不断变化的用户需求找到解决之法，也因此需要从客户的行为数据中寻找更多新价值。eBay 公司为卖家提供名为 Seller Hub 的工具，可以对每一位潜在买家进行深入分析，使卖家充分了解哪些商品更畅销，产品如何标价才能具备竞争优势等。比如，Salesforce 是一家专注于用户关系管理的公司，通过对用户数据分析挖掘实现精准营销，进而在商业领域实现革命化的创新发展。

3. 开源社区成为大数据产业发展的创新源泉

开源社区正在变成产业创新的重要源泉。从大数据技术的发展沿革中可以清晰地看出，分布式存储、云端分布式及网格计算等大数据核心技术的发展大多依赖于开源，即通过开源社区这一开放平台，吸引全球开发者开发、维护和完善代码，进而集合全球智慧推动大数据技术的迭代。全球各大企业也均加大了对开源社区的赞助和智力投入力度，期望从掌握底层技术出发引导产业未来发展的方向。

一方面，由第三方打造的大数据开源平台发挥作用十分显著。Apache 软件基金会著名的全球顶级开源社区 ASF 正式创建于 1999 年，至今已经成功孵化了众多大数据相关的开源项目，其大数据开源社区的创建过程是全球众多大数据技术公司的集体智慧。其中，ApacheHadoop 技术的发展就是非常典型的例子。谷歌公司在 2003 年发布的关于谷歌文件系统(Google GFS)的论文和 2004 年发布的关于编程模型 MapReduce 的论文是 Hadoop 的技术雏形。2005 年，雅虎公司的 Nutch 项目为 Hadoop 提供了专门的团队和资源。到 2008 年初，Hadoop 作为 Apache 的顶级项目，为大数据产业的发展提供了普适的技术框架和普适的标准。

另一方面，大数据领域的头部企业也开始依托自身业务建立开源社区。这些大企业主要以开源项目的方式推动技术的创新，引导大数据技术的发展。开源可以降低企业提供大数据应用服务门槛，并由此带来更多技术和服务创新。Facebook 公司于 2013 年 11 月开源了 Presto 技术，该技术是新型分布式 SQL 引擎，它能够对各种大小(从 GB 级至 PB 级)的数据源进行交互式的分析查询。2015 年，Presto 社区的代码提交数量提高了 48%，而 fork 的数量则提高了 99%。Airbnb、Dropbox、Netflix 等各大公司都开始使用 Presto 作为交互式查询引擎。Presto 在全球范围内的接受度也在逐步提高，包括来自日本的社交媒体游戏开发公司 Gree，以及来自中国的电子商务公司京东都在使用该技术。

第5章　大数据应用

5.1　国外大数据应用

大数据在国际范围内用了不到10年的时间，完成了从概念理论到创新应用的迅速转变。经历了科学研究、软件开发、商业应用、数据开放、国家战略等多个发展阶段后，各国普遍现已将大数据应用于安全防控、金融、交通运输、医疗保健等多个领域。

5.1.1　安全防控

随着数据时代的兴起，数据安全问题愈发重要。业务系统快速迭代、攻防博弈不断升级，数据安全治理政策和规范逐渐出台，这些因素合并为国家安全保障和企业数据安全带来了与日俱增的压力。美国的科技企业运用大数据技术全面、智能地寻找安全漏洞，防范网络攻击，帮助政府和企业等主体监测出安全问题和识别违规行为，将安全问题带来的风险尽可能降到最低。

美国的Awake公司开发了基于大数据深度学习的安全系统。部署在云和嵌入物联网设备中的传感器在扫描到数据存储的位置后，像神经将信息传递回大脑一样，将关键发现传回名为Awake Hub的集中深度学习中心，从而检测分析出异常数据背后潜在的安全威胁和攻击意图。Awake

Hub 也可以与掌握最新网络攻击技术和行业特定协议的网络安全专家合作，并通过引入外部输入的数据来为企业有针对性地确定最佳安全防御方案。

美国的Splunk公司开发了依靠大数据分析技术来识别和应对网络安全威胁的安全操作套件。全系统的数据以实时、流动的方式接入 Splunk 开发的数据分析工具，并利用机器学习算法精确定位异常信息。Splunk 内置的数据驱动洞察工具也有助于智能确定多个攻击点及其触发攻击的优先级，从而确定安全问题的潜在根源，有针对性地制定并实施安全前置措施，并根据企业的实际情况制定体系性的安全保障解决方案。

5.1.2　金融

据统计，全球每年因欺诈造成的经济损失约 3.7 万亿美元。大数据等新技术可改善原有金融系统存在的额外难题，例如 Financial Services+Technology 就已被充分应用在反欺诈、反金融犯罪和信贷风险评估等领域。

SAS 公司是全球最大的软件公司之一，该公司应用大数据分析技术，与金融、海关、税务、医疗机构深入合作，提供了一套行之有效的金融犯罪打击方案。例如 SAS 公司可以通过大数据技术协助海关分析某个自然人是否涉嫌贪污、欺诈、走私等问题，从而帮助海关做出是否允许通关的决策。SAS 也可通过收集和分析银行客户的账户信息、历史行为、当前交易行为等数据，为金融机构提供智能的反欺诈分析。

德克萨斯资本银行(TCBank)也不断在大数据技术方面

加大投入，不断迭代升级自有反金融犯罪系统，确保该系统能应对银行业务增长和业务革新带来的挑战。其他金融机构也充分与第三方的互联网征信机构合作，通过收集和整理客户在 Twitter 等社交平台留下的数据，结合银行侧的信贷和投保申请，运用海量数据训练出的智能模型，辅助银行做出更多维度、更科学的信贷风险评估。

在保险领域，德国保险业应用大数据预测工伤事故，其精度可达 90%。德国工伤保险联合会在充分收集整理企业安全生产事故的数据后，一方面可帮助企业预测安全生产事故发生的风险，另一方面也可根据企业的实际情况计算出相应的保费。通过对上百万份保险数据的建模和分析，可帮助保险机构判断其赔付是否正确，进而避免大量的虚假、不合理赔付支出。与之类似的是，瑞士 SUVA 通过对每年高达 600 万份的就医数据进行分析，从中发现重复和错误账单，从而缩减保险支付金额。

5.1.3 交通运输

整体来看，大数据应用的领域正逐步从大数据应用水平较高的行业向传统领域渗透。过去互联网、电信、金融等行业的大数据应用水平较为成熟，近年来导航、物流、自动驾驶等交通领域的应用发展水平也日益提升。

美国的 Here Technology 公司着力于将大数据应用于自动驾驶的研究中。基于高清实时地图的位置信息可以为自动驾驶汽车提供其运行所需的分层和特定位置的数据，从而精确地获取车道界限、汽车的周围环境以及人眼无法目及的拐角情况等信息。自动驾驶汽车也可以同时获取持续不断的交通信息，提前避开关闭的车道和拥挤路段，提升车辆运行的效率和安全性。

美国的 FourKites 平台使用 GPS 和大量其他来源的位置数据源实时跟踪运送的包裹，并结合交通、天气等其他外部因素的数据，通过预测算法计算出包裹的预计到达时间。FourKites 可以基于为用户提供的智能终端提前向客户发出有关包裹延迟或提前交货的服务提示信息，使用户可以根据自己的实际时间安排选择货物送达的时间和方式，进而提高用户服务的满意度，同时也为平台避免额外产生的运输和存储费用。

日本的本田公司推出了一个名为 Internavi 的交通信息服务工具，该工具可以基于汽车导航定位服务系统远程处理信息，并每五分钟向数据中心回传并共享数据。数据中心在分析数据后为用户提供的堵车预测服务比原有的技术提高了 20%的预测准确率。在与埼玉县道路交管部门合作后，本田通过每辆车部署的交通信息的感应器分析出急刹车的多发地点，并指导道路交通部门对行道树和道路交通指示牌进行完善，从而减少了约七成的急刹车事件，大大提升了道路通行的安全性。

5.1.4　医疗保健

基于大数据的医疗保健可以有效辅助临床决策有效支撑临床方案。同时通过对疾病的流行病学分析，还可以对疾病危险进行分析和预警。基于大数据的临床决策软件也可以通过对大量医疗案例的学习而不断修正，协助医生做出更为科学和适宜的治疗。

在服务医院方面，美国的 Tempus 公司推出了使用平板电脑实时访问病历文件的服务。Tempus 收集了大量的临床记录、基因组数据、放射扫描等数字档案，并基于大数据分析技术整合具有相似症状的其他患者的人口统计学特征、遗传特征、过往病史和用药记录等信息，从而为临床诊疗提供个性化的诊疗建议。

韩国卫生部设立了一个由医院、科研院所和医疗保健公司组成的专责小组，运用大数据收集和分析技术共同开发可用于个性化医疗的医学大数据。该专责小组 2020 年完成全国 39 家医院约 5000 万人医疗记录的收集工作，并在此基础上建立一个关于遗传学和其他健康信息的国家数据库。卫生部表示，这些收集到的记录不包括患者的个人隐私信息，其分析和应用的目的在于为患者量身定制一套治疗方案。

此外，韩国运营商 SK 电讯已经与韩国大学医学中心签署了合作协议。双方计划创建一个基于大数据分析的患者信息数据库，并在分析处理数据库中海量数据的基础上建立一个智能医疗中心，这个新的国际医疗中心也将使用 AI、IoT、增强现实和虚拟现实提供面向患者的医疗服务。这些技术的综合使用将为患者提供预计等待和检查时间、提供移动支付服务和个性化的诊疗建议。

在服务患者方面，美国 Propeller Health 公司致力于利用大数据和物联网设备提升哮喘患者的生活质量。该公司推出的装有智能感应器的哮喘吸入器可以将数据传输到智能手机的应用程序中，由应用程序记录和分析吸入器的使用情况、花粉、空气湿度和空气质量等信息，从而为患者和医生提供诊疗和用药建议。在判断出可能触发哮喘的因素时，及时为患者提供警示，并将相关记录生成患者报告以便医生进行后续的诊断。

在预测疾病趋势方面，意大利的 PASSI 监测项目收集了将近 90%人口的生活方式信息，从而为公共卫生行动提供基于大数据的科学决策。丹麦的“共享护理平台”主要针对慢性病患者，运用大数据技术锁定重点人群，并进而协调公共卫生和社会护理资源的分配过程。西班牙罕见病研究机构(SpainRDR)致力于罕见病临床研究，将罕见病数据库和注册管理系统统一到大数据综合管理平台中。CEPHOS-LINK 是六个欧盟国家合力打造的精神卫生中心平台。在收集精神科医院入院和再入院数据的基础上，分析出重新入院的关键因素，并智能协调精神病的护理资源和管理体系。

5.1.5　市场营销

随着使用社交网络和智能终端的用户数量不断增长，利用大数据来收集分析用户意见、提升品牌营销和促进市场推广等已成为大数据应用的重点之一。电商数据是用户消费习惯的直接反映，伴随着互联网红利瓜分殆尽，广告主营销投入预算的不断下降，如何利用大数据技术提升目标用户的触达效率已成为行业最为关切的重点。

美国的数字营销公司 3Q Digital 利用大数据技术支撑其融合搜索引擎、社交、移动和视频营销的战略。内部决策科学团队通过研究交易记录、消费者行为等数据，利用多点触控归因技术完善营销渠道组合。这种大数据信息技术使营销团队能够在宏观和微观层面上准确区分有效和无效的广告营销，从而在后续的产品推广和营销中不断提升效率，减少不必要的成本。

美国的 Marketing Evolution 公司基于大数据技术对用户进行精准的画像。通过从数百个线上和线下来源收集的职业、居住地点和购买习惯等数据，Marketing Evolution 可以获知精准、详细的消费者偏好信息。数据分析师可以使用一个名为“ROI-Brain”的软件来有针对性地策划精准营销活动，并可利用大数据技术实现从数据来源本身到用户触达渠道的全流程追踪，从而有利于实现营销活动结束后的复盘和营销计划的不断改进。

5.1.6 智慧城市

近年来，在各国提升数字经济的一系列“组合拳”打出后，大数据技术被充分运用于节约能源、环境监测、交通建设等智慧城市建设中。

法国电信公司实践运用大数据分析技术和物联网技术降低城市能源消耗。该公司在城区安装了数百个感应器以用于监控、测量和控制城市环境。根据测算，该城市路灯照明的耗电量占总体能源消耗的 40%。在利用智能化的物联网感应器控制城市照明设施后，其照明及其维护成本减少了 30%。

法国电信开展的智能水表成效也十分显著。智能水表项目运用传感器确认水质，并将测试结果实时发送到数据中心，相应的分析结果和预警信息会及时提供至相应用户和管理机构。其中，法国电信负责收集和传输传感器数据，在对数据进行分析后将分析结果提供至消费者和水务公司，在充分保障消费者知情权的同时，也可为水务公司的水处理工作提供实时、精确的数据。

在缓解交通拥堵方面，IBM 为法国里昂市开发了道路交通决策支持系统。通过收集、分析现有交通数据和来自社交媒体的非结构化数据，交通信号系统可以与多源数据融合打通，实时、智能地基于大数据分析的结果设计交通疏导方案，大大缓解了高峰期道路拥堵的问题。

在城市规划方面，英国政府广泛收集了来自公共交通网络、旅游网站和社交网站中带有地理定位的信息，以此描绘出城市中心区的范围和边界，并在此基础上运用大数据技术建立仿真模型，动态、智能地为城市的功能区划提供数据来源和决策支撑。

5.1.7　工业

近年来，在全球经济数字化浪潮的带动下，大数据与工业的融合应用不断拓展。经过几年的发展，工业界对于大数据应用的重要性认知基本得到统一，运用新技术提升工业的智能化水平也逐渐成为国家政策的关注方向。

德国政府早在 2013 年 4 月就提出了“工业 4.0”的概念。Fraunhofer 协会中的智能分析和信息系统研究所(IAIS)负责德国工业数字化创新的工业数据空间子项目(Industrial Data Space, IDS)，该项目着重强调跨领域的数据交换应用，并将分散在各主体中的工业数据统一纳入可信的网络空间中。具体而言，IDS 致力于实现智能制造，通过智能化的传感器和其他通信模块，实现原材料、设备、软件的互联。在此基础上，虚拟网络—实体物理(Cyber-Physical System, CPS)的系统可以实现物理设备与互联网的连接，从而使设备能够自行智能优化并调控生产过程。

从更宏观的角度来看，IDS 致力于将底层的宽带网络基础设施和各类终端设备、传感器、实时生产线之间连接起来，汇聚整合了来自工厂和物流公司的直接生产数据，来自政府部门的气象、交通、城市规划等方面的公共数据，以及来自电信运营商、互联网电商、社交网站等第三方数据，最终实现万物互联，从而重构整个社会的生产方式。

5.1.8　农业

21 世纪以来，高效、集约的精准农业已成为现代农业发展的重要形式。依托大数据的先进技术有利于提高农业决策的准确性和时效性，降低农业生产中的试错成本。

韩国科学和信息通信技术部于 2021 年 1 月表示，将在未来七年内投资 3,867 亿韩元开发基于大数据技术的智能农场，并将该项目作为韩国实现农业现代化和智能化转型的核心力量。该部还表示已成立了一个专门的基金会以研究和测试基于大数据和人工智能的下一代智能农场技术，从而开发提高生产率和生产质量的自动化农场，乃至突破远程农场气候控制等高新技术。在此智能农场技术成熟后，该基金会也将寻求将智能农场模式出口到国际其他市场。

日本政府开发的国家农业基础设施平台为推动省力、智能、高品质的农业生产提供了数据支撑。为了促进该平台的落地应用，日本为其制定了农业数据协作合同和数据使用规则等一系列配套规则。在此基础上，明确了数据共享、存储和使用的权益，从而调动了利益相关方的积极性。此外，针对农业生产者老龄化、劳动者人数逐年减少、农业经营规模逐步扩大和消费者对农产品安全的要求与日俱增的现实情况，日本大力推广智能农机的应用，注重发挥大数据技术在规划产能、提升作物生产量、预防自然灾害和病虫害等方面的作用，从而建立以农业发展现实问题和需求为导向的智能农业[5]。

法国施耐德电气的数字传输网络部门(Data Transfer Network, DTN)向其客户提供农产品市场信息和农业信息的解决方案。DTN 开发了一个现代化的数据集成工具，该工具可以合并来自多个数据源的信息，通过清晰、一致的界面向用户展示最新的天气和农产品价格数据等信息，以帮助用户更好地管理其农业生产过程，进而提高产量并削减成本。

5.2　我国大数据应用

大数据的发展受直接面向消费者、行业开放程度、信息化的建设组织方式和人才建设情况等因素的影响。近几年我国通过政策支持、技术推动、资本助力和数字化转型需求推动，使大数据应用百花齐放，不断向纵深发展，孕育了众多新兴业态，大数据不断助力数字经济、通信、政务、金融、工业、农业、医疗健康、疫情防控等领域，在诸多细分行业都实现了产业落地。

5.2.1 通信大数据

我国通信大数据发展迅速，市场需求逐年增长，正处于蓬勃发展的重要阶段。根据 2021 年 1 月工信部发布的数据，2020 年全年全国电信业务收入累计完成 1.36 万亿元，大数据、云计算、数据中心等新兴固定业务增长成为电信业务收入增长的第一推动力。数据显示，数据中心业务、云计算、大数据以及物联网业务收入比上年分别增长 22.2%、85.8%、35.2%和 17.7%，新技术大力拓展新兴业务，使固定增值及其他业务的收入成为增长第一引擎。

相对于其他行业，通信大数据具备全面、动态、实时的特点，形成了独特的优势：一是数据资源优势。通信数据拥有 16 亿移动电话用户、2 亿固话用户和 8 亿宽带用户，运营商每天可获得的数据都在 PB 级。二是基础设施优势，全面网络覆盖、高速网络带宽和高效网络运维为通信大数据的应用奠定了坚实的基础。此外，基于遍布各处的通信基站，运营商可以借助信令数据描点勾勒出手机用户的活动轨迹，分析用户的位置移动规律，这也成为通信大数据与其他行业融合应用的独特优势。

内部大数据应用场景设计主要有客户分析、客户迁移、精准营销、客户服务提升等方面。而外部大数据应用场景设计考虑因素主要有现有基础、实现难度、发展前景等。

目前，通信大数据已同公共安全、民生服务、旅游开发、商业推广等众多领域深入融合。例如，基站定位和大数据分析技术可面向银行征信、商业地产、连锁零售、旅游景区等行业，提供消费行为分析、商业选址、位置评估、客流分析等服务。大数据可搭建旅游产业信息服务平台，在为游客提供智慧旅游服务的同时，通过游客实时定位、人流统计、客源分析等帮助旅游景区提升服务质量、制定更优的营销策略。手机用户信令数据分析也可辅助政府部门实时统计辖区内的人口热力分布，监控各区活跃人口的变化趋势，为政府的人口统计、调控与监测提供有力的技术支撑。

5.2.2　政务大数据

我国在多年的政务数字化进程中收集了大量的数据资源，为数字政府的智能化发展提供了坚实的资源基础。在厘清政务存量数据、完善政务数据的应用方式、促进数据的共享开放方面，大数据有助于切实提升政府服务的成熟度，满足社会对于政务数据的刚性需求，进一步提升政务服务效率和数字化水平。

政务大数据首先有利于完善国家人口基础信息库等基础信息资源体系的建设，并在此基础上，逐步完善交通、医疗、就业、征信、国土、企业登记等领域的数据资源。其次，政务大数据的积累和技术的革新有利于逐步开发统一的互联网政务服务平台，实现智慧政府的建设和“最多跑一次”的事务办理。最后，通过政府数据的关联分析，建立“用数据说话、用数据决策、用数据管理、用数据创新”的机制，构建适应信息时代的国家治理体系，推进国家治理能力现代化。

5.2.3　金融大数据

在全球数字化转型的热潮之中，金融行业一马当先。

金融机构获取了大量的结构化和非结构化数据。这些数据可被挖掘出客户偏好、消费行为、社会关系等信息，可为金融业务的发展提供重要的支撑。

第一，大数据与金融风控的融合可充分运用于交易欺诈识别、黑产防范和信贷风险评估等领域。大数据分析技术通过对海量用户数据的分析和建模来预测未来的行为，可以为客户打上多维度分析的标签，整理、发掘出海量信息之间的内在关系，以及数据信息所映射的潜藏的欺诈交易模式和欺诈事件，从而提高风险的识别和控制能力。

第二，大数据可促进金融产品创新。大数据技术可通过收集整理大量客户数据，分析出潜在的交易动机、未来购买，也可判断不同客户对理财收益、资金流动性和风险偏好等方面的需求，为客户推荐和设计出更多更好的金融产品。

第三，大数据有利于实现高效、穿透式的监管。大数据可以引入工商、法院、银行等多维度多渠道的多元化数据，为及时、穿透式的金融监管提供基础。

5.2.4　工业大数据

在信息网络与工业生产系统的结合日益深入的当下，工业大数据逐渐成为智能制造的重要基础。工业互联网与大数据、云计算、人工智能和物联网的结合可以驱动企业业务创新和转型升级，引领工业生产方式的变革，拉动工业经济的创新发展。

第一，工业大数据和信息物理系统的结合有利于实现工业互联网的大规模个性化定制。企业可以通过前期的业务磋商采集获取客户订单需求的相关数据，在与本企业业务积累的生产数据相融合之后，建立结合生产能力和外部需求的产品模型和方案。大数据分析技术可提供现有生产条件下最优的工艺设计方案，并及时将物料清单、技术设计及时传递到生产部门，进行物资准备和生产排期，提升各部门不同系统之间信息交换的效率，最大化合理利用产能和生产时间。

第二，工业大数据有利于实现全产业链的智能协同，促使资源和研发资金有限的中小企业可以选择将精力集中在强势产品和高效环节中，与其他环节的企业达成战略合作关系，提升全产业链每个参与者的专业化水平和智能化水平，进而通过行业协作优化资源的配置和利用，整体上提升制造业的发展水平和世界竞争力。更为互联互通的产业链也有助于促进企业拓展经营模式、研发模式和商业合作模式，做到全要素、全产业链、全价值链的全面连接。

第三，工业大数据有助于实现制造企业的服务转型，将产业链由制造延伸至中下游，为客户提供一站式的智能化产品服务。传感技术和工业大数据的结合，可对设备运行中的实际状况、操作行为、故障等数据进行收集和分析，对企业制造的产品获取更深入更全面的认识，进而为产品的快速迭代提供坚实的基础，也为制造企业获得更多利润空间和发展前景提供更多的可能性。

5.2.5　农业大数据

农业大数据的来源广泛、类型多样、结构复杂，利用大数据可有效提高农业生产精确化、智能化水平，推进农业资源利用方式的转变，实现农业发展各环节跨越式的产业升级。

在农业大数据采集和归档的环节，利用物联网、智能设备和移动互联网等信息技术，可以大大提高数据采集的质量和效率。利用遥感、无人机等现代空间信息技术建设统计应用系统，实现农村数据采集“空、天、地”一体化应用。在收集数据的基础上，通过建设数据归档系统和基础数据库，有助于实现农业基础调查数据的集中统一管理。

在农业大数据的分析环节，针对数据采集环节所形成的大数据数据库，以统计分析、机器学习和分布式计算等一系列分析技术作为技术手段，完成农产品单品和农业全产业链数据分析系统的建设。数据分析的结果可为农业的生产和发展提供科学的指导意见。具体而言，大数据分析技术有助于预测未来天气的变化趋势，通过实时的分析，为从业者提供农作物当前的土壤、病虫害和长势预测等数据。大数据与智能终端的结合也有利于实现为农民提供科学的种植建议及管理指导，减少资源浪费和成本投入。

在风险预警方面，农业大数据可重点应用在农产品溯源、农产品产销、农业自然灾害预报、流行病和病虫害监测等方面。在农产品交易和流转方面，可通过搭建农业信息网和建设农业科技成果公共交易平台的方式，事前获知农产品价格和各主产区的产销情况，打破农产品的信息不对称僵局，拓展销售市场，促进先进农业科技发展经验的推广与共享。

5.2.6　医疗健康大数据

医疗大数据主要源于患者就诊信息、临床数据、药企研发数据，以及智能穿戴设备获得的数据等。在合理的时间内达到采集、管理并整合医疗健康数据，推广电子病历、研究个性化诊疗、研发医疗知识图谱、设计临床决策支持系统和药品器械研发等应用，有助于提升个人健康管理水平，帮助医院进行经营决策，助力政府进行社会健康监控和管理。

首先，医疗大数据有助于服务居民。在收集病例和诊疗方案数据的基础上建立的居民健康指导服务系统，可为居民提供就医建议、个性化健康保健指导、慢性病健康管理、诊疗预约和非处方药购买等服务，促进优质医疗资源下沉到基层群众。

其次，医疗大数据有助于优化医药研究。大数据分析技术可跟踪和分析药物的副作用。穿戴设备等物联网设备可随时把患者的健康数据传输到数据中心。由此，药物研发所需的数据得以大大提升样本的数量、质量和时效性，数据的格式和内容也可得以标准化，为高效的药品副作用研究提供扎实的基础。另外，制药和医疗器械公司可以通过医疗大数据评估公众的潜在需求，从而对资金、研发资源等进行合理的配置，提升管理方式、优化生产流程。

最后，医疗大数据有助于促进“智慧医院”的发展。健康医疗大数据有助于支持三医联动、远程诊疗、分级诊疗和异地医保结算等，促进医疗效率的提升和医疗资源的高效利用。大数据和自动化设备的结合，有助于促进医院的自动化高效运营，优化医院内部资产管理流程，精益化医院的人员管理。大数据有助于打通诊前、诊中和诊后的全流程，增强诊前服务、辅助诊中流程、优化诊后交流，推动医院从疾病治疗向健康管理的转型发展。

5.2.7 大数据与疫情防控

2020年开年之际，新型冠状病毒引发的肺炎疫情汹涌而至。经过全国社会上下艰苦卓绝的努力，国内疫情防控阻击战取得了重大的战略成果。回顾此次抗“疫”历程，大数据在疫情监测溯源、人员管控、医疗救治、复工复产等各领域得到了广泛应用。

第一是疫情分析展现。通过对人员和车辆流动、资源分布、物流运输、舆论监测和民众信息上报等信息进行全方位、多角度的实时展示，有助于支撑政府的疫情防范管制和及时为公众播报疫情信息动态。

第二是疫情防控管制。疫情防范类应用通过模型建立、分析挖掘等手段利用位置数据和各类行为数据实现高危人群识别、人员健康追踪、区域监测、市场监管等功能。大量科技企业利用AI图像识别、智能外呼、知识图谱、安全多方计算、微服务等多项技术，为社会疫情防控及政府决策提供有力支撑。

第三是医疗医治增效。大数据和智能技术在病情诊断、医学研究、医疗辅助等医护工作的相关场景中得到了充分应用。百度研究院开放线性时间算法 LinearFold，提升了新冠病毒 RNA 空间结构的预测速度；浙江省疾控中心基于阿里达摩院研发的 AI 算法上线的全基因组检测分析平台，有效缩短疑似病例的基因分析时间，且能精准分析出病毒是否变异。

第四是生活便民举措。诸多互联网企业采用 O2O 服务模式，形成线下活动到线上活动的映射，积极开发并提供生活服务类应用。企业可利用大数据技术对客户的生活数据进行采集、存储和分析，并基于数据分析的结果为居民提供无接触派送、线上医疗、预约服务相关的产品和服务。在便利居民正常生活的同时，确保了各类服务的安全健康。

第6章 数据资产

党的十九届四中全会将“数据”列为全新的生产要素，要求建立健全由市场评价贡献、按贡献决定报酬的机制，这意味着以数据为关键要素的数字经济进入新时代。数据要素所引发的生产要素变革，正在重塑着我们的需求、生产、供应和消费，改变着社会的组织运行方式。

6.1 概 述

随着数据的重要性日益显著，数据资产管理成为激发数据要素活力、加速价值释放的关键。我们首先从数据要素市场发展与企业数字化转型的视角出发，阐述数据资产管理的重要性，其次明确数据资产管理的概念与内涵，再次对数据资产管理演进进行梳理，最后总结了当前数据资产管理的主要难点。

当前，数据成为各国发展数字经济的重要抓手。数字经济占 GDP 比重从 2005 年的 14.2%提升至 2020 年的 38.6%。推动以数据为基础的战略转型成为各个国家和地区抢占全球竞争制高点的重要战略选择。

数据资产管理通过构建全面有效的、切合实际的管理体系，一方面规范数据资产采集、加工、使用过程，提升数据质量，保障数据安全，另一方面丰富应用场景，培育数据资产生态，积极运营数据资产，激活数据资产价值，为政府机构与企事业单位进行资产计量确认提供了良好的数据条件和能力基础，进一步推动数据要素流通，加速要素市场化。

6.2 数据资产的概念

数据资产(Data Asset)是指由组织(政府机构、企事业单位等)合法拥有或控制的数据资源，以电子或其他方式记录，例如文本、图像、语音、视频、网页、数据库、传感信号等结构化或非结构化数据，可进行计量或交易，能直接或间接带来经济效益和社会效益。

在组织中，并非所有的数据都构成数据资产，数据资产是能够为组织产生价值的数据资源，数据资产的形成需要对数据资源进行主动管理并形成有效控制。

数据权属讨论数据属于谁的问题，数据权益讨论数据收益的分配问题。确定数据资产权属和权益分配有利于提高市场主体参与资产交易的积极性，降低资产流通的合规风险，推动数据要素市场化进程。现阶段，数据资产的权属确认问题对于全球而言仍是巨大挑战，各国现行全国性法律尚未对数据确权进行立法规制，普遍采取法院个案处理的方式，借助包括隐私保护法、知识产权法及合同法等不同的法律机制进行判断。

定义数据主体的权益一定程度上可以缓解由于数据资产难确权带来的困境。我国通过明确了自然人、法人和非法人组织的数据权益，保障了包括自然人在内各参与方的财产收益，起到了鼓励企业在合法合规的前提下参与数据资产流通的作用。深圳市于 2021 年 7 月发布了《深圳经济特区数据条例》，同月，广东省发布了《广东省数字经济促进条例》，上海市于 11 月发布了《上海市数据条例》，规定了自然人、法人和非法人组织对其以合法方式获取的数据，以及合法处理数据形成的数据产品和服务依法享有相关权益。

6.3　数据资产管理的概念和内涵

数据资产管理包含数据资源化、数据资产化两个环节，将原始数据转变为数据资源、数据资产，逐步提高数据的价值密度，为数据要素化奠定基础。

数据资源化通过将原始数据转变数据资源，使数据具备一定的潜在价值，是数据资产化的必要前提。数据资源化以提升数据质量、保障数据安全为工作目标，确保数据的准确性、一致性、时效性和完整性，推动数据内外部流通。数据资源化包括元数据管理、主数据管理、数据标准管理、数据模型管理、数据质量管理、数据安全管理等职能。

数据资产化通过将数据资源转变为数据资产，使数据资源的潜在价值得以充分释放。数据资产化以扩大数据资产的应用范围、显性化数据资产的成本与效益为工作重点，并使数据供给端与数据消费端之间形成良性反馈闭环。数据资产化主要包括数据资产流通、数据资产运营、数据价值评估等活动职能。

6.4 数据资产管理的难点

当前，数据资产管理仍然面临一系列的问题和挑战，涉及数据资产管理的理念、效率、技术、安全等方面，阻碍了组织数据资产能力的持续提升。

一是数据资产管理内驱动力不足。组织管理数据资产的动力主要来自外在动力和内在动力两个方面。随着鼓励组织开展数字化转型的国家和行业政策陆续发布，监管和行业主管部门对企业数据管理提出更高要求，数据分析和应用对于同业竞争的优势日趋显著，组织开展数据资产管理的外部动力逐渐增强。但是，对于多数组织而言，仍面临数据资产管理价值不明显、数据资产管理路径不清晰等问题，管理层尚未达成数据战略共识，短时期内数据资产管理投入产出比较低，导致组织开展数据资产管理内驱动力不足。

二是数据资产管理与业务发展存在割裂。现阶段企业开展数据资产管理主要是为经营管理和业务决策提供数据支持，数据资产管理应与业务发展紧密耦合，数据资产也需要借助业务活动实现价值释放。然而，很多组织的数据资产管理工作与实际业务存在“脱节”情况。战略层面不一致，多数企业尽管具备一定的数据资产管理意识，但是并未在企业发展规划中明确数据资产管理如何与业务结合。同时，组织层面不统一，数据资产管理团队与业务团队缺乏有效的协同机制，使数据资产管理团队不清楚业务的数据需求，业务团队不知道如何参与数据资产管理工作。

三是数据孤岛阻碍数据内部共享。打通组织内数据流通壁垒，是推进数据资产在组织内高效流转的关键环节。但是，由于信息化数据系统分散建设，数据能力分散培养，缺乏体系化管理数据资产的意识，缺少统一的数据资产管理平台与团队，对各类数据的归口管理权责不清，使得数据孤岛发展为普遍问题，并进一步成为组织全面开启数字化转型、构建业务技术协同机制的“绊脚石”。

四是数据质量难以及时满足业务预期。数据资产管理的核心目标之一是提升数据质量，以提高数据决策的准确性。但是，目前多数企业面临数据质量不达预期、质量提升缓慢的问题。究其原因，主要包括以下三个方面：一是未进行源头数据质量治理，“垃圾”数据流入数据中心；二是数据资产管理人员未与数据使用者之间形成协同，数据质量规则并未得到数据生产者或数据使用者的确认；三是数据质量管理的技术支持不足，手工操作在数据质量管理中占比较高，导致数据质量问题发现与整改不及时。

五是数据开发效率和敏捷程度较低。数据开发的效率及效果需要有配套的技术能力及设施保障，数据开发的效率影响了数据资产的形成效率，数据开发的效果影响了数据资产对业务的指导效果。大多数企业因为无体系化的数据开发及数据资产沉淀机制，无法及时有效形成数据资产并沉淀下来。

六是数据资产运营仍处在初期发展阶段。由于多数组织尚未建立数据资产运营的理念与方法，难以充分调动数据使用方参与数据资产管理的积极性，数据资产管理方与使用方之间缺少良性沟通和反馈机制，降低了数据产品的应用效果。

七是难以兼顾数据流通和数据安全的平衡。近几年，涉及个人信息泄露的数据安全事件频繁。2019 年 2 月，Security Discovery 安全研究人员发现，一个不受保护的服务器公开了美国电子邮件公司 Verifications.io 四个在线 MongoDB 数据库，其中包含 150GB 的详细营销数据和 8 亿多个不同的电子邮箱地址。2020 年，我国微博超 5 亿用户数据在暗网出售，个人信息安全遭受巨大危险，如此种种数据安全事件造成的损失不可估量。

《数据安全法》、《个人信息保护法》的颁布和实施为规范数据处理活动、保障数据安全和个人、组织的合法权益奠定了法律基础，同时也对组织的数据安全治理能力与个人信息保护能力提出了更高的要求。但是，由于目前多数组织的数据安全能力处于较为初步的阶段，对于数据资产流通的需求却在逐步攀升，随着数据规模的持续增加，多数组织现阶段面临难以平衡数据资产流通和数据安全合规的问题。

6.5　数据资产管理的发展趋势

从信息时代到数字时代，数据由记录业务逐渐转变为智能决策，成为了组织持续发展的核心引擎。未来，数据资产管理将朝着统一化、专业化、敏捷化的方向发展，提高数据资产管理效率，主动赋能业务，推动数据资产安全有序流通，持续运营数据资产，充分发挥数据资产的经济价值和社会价值。

6.5.1　管理对象：数据复杂性持续增加

伴随着互联网、物联网、云计算的发展，数据在来源、格式等方面的复杂性持续增加。在数据来源方面，预计到2025 年，组织采集的数据将有超过一半(90ZB)来自物联网设备，组织内部的数据集成已经取得显著成效，外部数据的引入和源头管理正在成为发展重心，成为风险控制、客户画像、业务拓展等领域的重要能力优势来源。在数据格式方面，根据 IDC 的研究数据显示，未来 5 年非结构化数据的年复合增长速度为 19.9%，占比将达到 80%。组织中结构化数据的管理日趋成熟、比重逐步增长，但是非结构化数据仍将占据绝大部分，元数据管理、跨数据结构关联分析、AI 分析技术等将是非结构化数据关联的发展重点。在数据实时性方面，实时获取数据和分析处理数据已成为关键能力，业界在跨平台准实时数据共享、流批数据一体、增量数据采集、可视化配置等方面不断加大投入，累计投入资金占 IT 投入超过 23%，支撑业务场景事后分析向实时决策转变。

6.5.2　管理理念：从被动响应到主动赋能

随着组织数字化转型的不断深入推进，数据资产管理占组织日常经营管理的比重日渐增加，传统以需求定制开发为主要模式的被动服务形式，已难以满足组织数据服务响应诉求。此外，随着数据素养和数字技能的不断提升，数据使用者培养了主动消费意识和能力，以数据资产目录为载体、以自助式数据服务为手段、以全流程安全防护为保障的数据主动消费和管控模式正在形成，在提升数据服务水平的同时，进一步提升数据应用的广度和深度。

6.5.3　组织形态：向专业化与复合型升级

区别于信息化阶段作为 IT 部门的从属部门，数据资产管理组织与职能已逐步独立化。对于政府，由专门的政府机构承担。在业务部门设立数据管理兼职岗位，首席数据官(CDO)制度也出现在了上海、广东、山东、江苏等地的规划中，覆盖决策、管理、设计、维护的数据资产管理专业组织形态已逐步显现。对于企业，很多组织开始建立数据资产管理委员会、数据管理部等专业机构。DCMM 评估结果显示，目前设置数据资产管理委员会、数据管理部门的组织占比在 40%左右。

数据资产管理组织形成以 CDO 或 CIO 主导、业务部门与 IT 部门协同参与的模式。Gartner 2021 年报告显示，75%的公司将 CDO 视为与 IT、HR 和财务同样关键的职务。此外，IDC 调查显示，46.7%的 CIO 在企业数字化转型中起主导作用。此外，在业务部门与 IT 部门设置专职或兼职数据管理员，推动数据资产管理有效开展。

6.5.4　管理方式：敏捷协同的一体化管理

传统的数据资产管理建设往往由多个分散的管理活动和解决方案组成，造成数据资产管理各个环节之间的脱节(包括开发与管理、管理与运营)，使得数据从生产端到消费端的开发效率降低。例如，在开发阶段应遵循的数据标准规范，在管理阶段需要强依赖专业数据管理角色和过程监控才可能实现。同时，由于多数企业忽视了数据运营，使数据消费端未向数据资产生产端反馈有效的用户体验。

如何通过增强多方角色协同与敏捷开发程度，使数据资产管理成为一个有机整体，是未来数据资产管理的重要方向。DataOps(Data Operations)是这一理念的典型代表。DataOps 这一理念在 2014 年被提出，于 2018 年被 Gartner 首次纳入数据管理技术成熟度曲线中，并保持增长态势，到 2021 年 DataOps 已由技术萌芽期(Innovation Trigger)爬坡接近至顶峰期(Peak of Inflated Expectations)。然而近年来 DataOps 的发展并不显著，整体上仍处于探索阶段。当前这一理念主要被数据管理基础较好的企业所采纳。

DataOps 倡导协同式、敏捷式的数据资产管理，通过建立数据管道，明确数据资产管理的流转过程及环节，采用技术推动数据资产管理自动化，提高所有数据资产管理相关人员的数据访问和获取效率，缩短数据项目的周期，并持续改进数据质量，降低管理成本，加速数据价值释放。例如，通过标准设计、模型设计指导数据开发，前置化数据质量管理，并建立 SLA 开展数据资产运维，实现开发与管理的协同；数据资产管理成果通过被业务分析人员、数据科学家等角色自助使用，支撑业务运营，同时，运营结果反向指导数据资产管理工作，实现管理与运营的协同。

6.5.5 技术架构：面向云的 Data Fabric

随着数据技术组件日益丰富，数据分布日趋分散，Gartner 认为 Data Fabric 已成为支持组装式数据分析及其各种组件的基础架构，通过在大数据技术设计上复用数据集成方式，Data Fabric 可缩短 30%的集成设计时间、30%

的部署时间和70%的维护时间。

事实上，Data Fabric 不是一个产品而是一种设计理念，是利用AI、机器学习等功能，访问数据或支持数据动态整合，以实现将“恰当”的数据在“恰当”的时间提供给“恰当”的人。在Data Fabric之前，数据结构的设计主要部署为静态基础设施，而在未来将需要采用动态的数据网格方法全面重新设计。

Data Fabric 是数据仓库、数据湖的理念和技术升级。在理念层面，数据仓库、数据湖作为信息时代或大数据时代初期的产物，其强调“集中式”数据存储和计算，但是在云计算时代，实现多云环境下的数据集中意味着较高的成本，因此Data Fabric 强调的是去中心化、分布式的数据网络架构。在技术层面，Data Fabric 与数据仓库、数据湖等并非是替代关系，相反，Data Fabric 可复用数据仓库、数据湖相关技术组件，同时强调与云计算、数据虚拟化、AI、知识图谱等技术的融合。

Data Fabric 的目标是减少数据复制规模，节约数据集成成本，提升数据访问和获取效率。为实现这一目标，企业应至少具备以下三个能力。一是在数据之间建立虚拟链接，简化数据访问模式，从而减少数据复制数量；二是利用AI技术，使数据资产目录根据企业业务情况和数据需求的变化，及时自动调整和优化；三是智能化向数据使用方推送数据，并提供自助式的数据服务。

目前，IBM、Informatica 和 Talend 等推出了针对 Data Fabric 的解决方案。以IBM为例，其于2021年7月发布的 Cloud Pak for Data4.0 的软件组合增加了智能化的 Data

Fabric 功能，其中 AutoSQL(结构化查询语言)，可以通过 AI 进行数据的自动访问、整合和管理，使分布式查询的速度提升 8 倍，同时节约 50%的成本。

6.5.6 管理手段：自动化与智能化广泛应用

随着数据复杂性持续增加，依靠“手工人力”的数据资产管理手段将逐步被“自动智能”的“专业工具”取代，覆盖数据资源化、数据资产化的多个活动职能，在不影响数据资产管理效果的同时，极大地降低了数据资产管理成本。

具体来说，是指利用 AI、ML、RPA、语义分析、可视化等技术，自动识别或匹配数据规则(包括数据标准规则、数据质量规则、数据安全规则等)，自动执行数据规则校验，或是自动发现数据之间的关联关系，并以可视化的方式展现。此外，可利用 VR、AR 等技术，帮助数据使用者探索数据和挖掘数据，提升数据应用的趣味性，降低数据使用门槛，扩大数据使用对象范围。例如，中国建设银行比对法律法规要求，实施了自动化数据安全分类分级打标。截至目前，构建了包括 5.9 万项的安全基础词库，通过自动化定级机器学习模型对 18 万余个数据项进行自动化定级。

6.5.7 运营模式：构建多元化的数据生态

运营数据是持续创造数据价值的有效方式，多元化的数据生态通过引入多维度数据、多类参与方、多种产品形态，进一步拓展数据应用场景和数据合作方式，为数据运营提供了良好的环境。“开放银行”是数据生态的典型代表。

“开放银行”的本质是一种平台化商业模式，以API作为技术手段，实现银行数据与第三方服务商的共享，从而为金融生态中的客户、第三方开发者、金融科技企业以及其他合作伙伴提供服务，并最终为消费者创造出新价值。

2018年，英国针对其零售银行市场竞争不充分和金融行业创新滞后的情况，正式实施“开放银行(Open Bank)”计划，旨在改善消费者保护，并增强零售银行业务竞争。我国在2019年开始推广和鼓励银行开展“开放银行”实践。据相关统计，绝大多数全国性银行已通过标准化API接口，面向教育、医疗、交通、物流、工业等行业提供包括在线身份认证、风险评估、信用评价等数据服务。

6.5.8 数据安全：兼顾合规与发展

首先，应意识到数据安全与数据资产合理利用并不冲突。两者之间存在着互相促进的关系。数据安全是合理利用的前提条件，合理利用是数据安全保护的最终目的。只有做好数据安全保护，才能让数据所有者愿意授予组织或其他主体对数据的使用权利，进一步推动数据资产流通。GDPR倡导平衡“数据权利保护”与“数据自由流通”的理念，在赋予数据主体权利的同时，强调个人数据的自由流通不得因为在个人数据处理过程中保护自然人权利而被限制或禁止。

其次，应从数据安全管理和数据资产流通两方面同步寻找平衡点。在数据安全管理侧，通过建立数据安全管理机制，制定数据安全分类分级标准和使用技术规范，提升数据安全治理能力；在数据资产流通侧，将数据安全合规、个人信息保护等要求作为基本“红线”，将其潜在风险作为成本指标，在不触碰“红线”的前提下，进行数据资产流通的收益分析，探索数据安全与资产流通的均衡方案。

第 7 章　数据要素与治理

7.1　数据要素市场化配置的基本概念

人类社会发展的不同阶段分别有不同的生产要素扮演核心角色。这些关键生产要素都以其强劲的动能促进了生产技术的革新，催生出全新的组织形式和管理方式，从而推动了时代的发展和变迁。当前人类社会已进入数据驱动发展的时代，数据要素成为与其他传统要素并驾齐驱的关键生产要素。

7.1.1　数据要素的概念

2020 年 4 月 9 日，《关于构建更加完善的要素市场化配置体制机制的意见》(以下简称《意见》)正式发布。《意见》为土地、劳动力、资本、技术、数据五个要素的改革指明了方向,明确了完善数据要素市场化配置的具体措施。同时，随着数据分析挖掘的技术手段进步和数据资产管理能力的提高，数据将向各行业进行渗透，充分发挥数据要素的乘数作用。

7.1.2　数据要素发展的方向

从目前来看，作为关键生产要素，大量数据资源还没有得到充分有效的利用。根据 IDC 和希捷科技的调研预测，随着各行各业企业的数字化转型提速，未来两年，企业数据将以 42.2%的速度保持高速增长，但与此同时，调研结果显示，企业运营中的数据只有 56%能够被及时捕获，而这其中，仅有 57%的数据得到了利用，43%的采集数据并没有被激活。也就是说，仅有 32%的企业数据价值能够被激活。

下一步应着力破除数据确权、数据流通、数据估值定价、隐私安全保护、数据监管等方面的瓶颈，促进数据的资产化和市场化，充分推动数字经济的高质量发展。

7.2 企业和政府数据治理体系的概念、现状、趋势

7.2.1 企业积极实践数据资产管理

不同行业的数据资产管理实践模式有所差异。经过多年发展，企业数据资产管理的理论基础已逐步成熟，形成了以国际数据管理协会(DAMA)的数据管理模型、数据治理研究所(DGI)的数据治理框架等为代表的理论框架，我国也于 2018 年发布了国家标准 GB/T 36073-2018《数据管理能力成熟度评估模型》，简称 DCMM。但在各行业的具体实践中，理论的共性逐渐被行业的个性所替代。例如，金融行业普遍“管理制度先行”，针对性地建立数据质量部门、数据标准部门、数据开发部门、数据分析部门等相关管理部门，数据资产管理活动侧重于监管数据治理、信

息系统、数据安全、应急预案。互联网企业通常"实践探索先行"，将数据模型、数据仓库、数据分析作为核心应用，随着网络数据安全保护能力专项行动的开展和个人信息保护的加强，数据安全也逐渐成为互联网企业的关键数据资产管理活动。

不同行业的数据资产管理综合能力差距明显。结合DCMM对于数据资产管理综合能力的等级划分，与在DCMM贯标与评估工作中对各行业实践现状的观察与总结可以发现，金融、电信、互联网等行业的数据资产管理综合能力多处于稳健级和量化管理级，其他行业多数仍处于初始级和受管理级。DCMM标准的能力域和级别定义如表7.1所示。

表7.1 数据资产管理能力划分

	数据战略	数据治理	数据架构	数据应用	数据安全	数据质量	数据标准	数据生存周期
初始级	仅在项目范围建立了数据战略	项目层面实现了数据治理	应用系统层面建立了数据架构	项目层面开展数据应用	项目层面开展数据安全管理	项目层面制定了数据质量提升方案	定义了项目范围的数据标准	项目层面开展数据生存周期管理
受管理级	数据战略和业务战略关联并实施	部门层面明确了数据职责和数据制度	针对数据管理具体问题构建相对完善的数据架构	部门层面多以线下方式进行数据应用	部门层面建立了数据安全标准和管理策略	部门层面识别了关键数据质量需求并逐步提升	定义了部门范围的数据标准并逐步落地标准	部门层面明确数据需求、数据设计开发、数据运维和数据退役规范

续表

	数据战略	数据治理	数据架构	数据应用	数据安全	数据质量	数据标准	数据生存周期
稳健级	建立反映整个组织发展的数据战略优化路线图并实施	组织层面建立了完善的数据组织、数据制度体系	组织层面建立了数据模型、数据分布、数据集成与共享、元数据及其管理规范	组织层面以提升数据价值为驱动力，充分利用各类技术平台全面进行数据分析、开放共享和数据服务	建立组织级数据安全团队和管理制度，充分识别和满足数据安全监管要求	确立了组织级数据质量关键问题和提升目标，制定了数据质量改善路线并实施	创建了组织级的业务术语、参考数据、主数据、数据元和指标数据及其管理制度，数据标准全面落地	数据生存周期管理覆盖了组织范围数据以及数据采集、存储、加工、退役全流程
量化管理级	基于数据战略量化指标持续跟踪优化	建立数据组织和数据制度考核指标	建立了评价数据架构的量化指标体系	建立数据应用的评价指标以衡量数据价值	根据内外部环境变化，不断调整数据安全策略	形成数据质量提升方案闭环，从源头改善质量	对数据标准体系和落地效果不断改进	数据生存周期管理有效支撑数据战略和数据应用
优化级	数据战略有效提升企业竞争力并成为行业标杆	数据组织和制度有力支撑数据管理工作	参与数据架构国际和国家标准制定，持续对外输出优秀经验	数据应用为企业和社会创造价值	参与数据安全国际和国家标准制定	数据质量管理实践具有先进性	参与国际、国家、地方和行业相关数据标准制定	

金融、电信、互联网行业的数据资产管理能力优势集中于数据战略、数据治理、数据架构和数据生存周期方面。金融行业，已有 67%的金融机构建立了组织级的数据治理架构并明确了相关管理层职责，85%的机构表示已经将数据治理纳入到组织年度战略规划中，67%的机构建立了统一的大数据分析平台，并开展数据应用、数据服务相关的培训宣贯。电信行业，以中国联通为例，在 2014 年就开始了组织层面的数据资产管理综合能力建设，实现了 31 个省公司指标数据和明细数据的一致，建立了包括信息化管理委员会、数据治理办公室、业务数据管理单位和数据生产单位在内的组织架构，并于 2019 年启动企业级数据中台建设，实现了 BOM 全域物理集中和逻辑集中。互联网行业，以滴滴为例，在 2017 年成立了数据治理部、数据架构部、数据平台部和数据科学部，利用大数据平台对数据全生存周期的管控，并通过将数据科学家分散至各业务部门的方式，加深数据需求与业务需求的融合。此外，中国互联网协会于 2020 年 7 月成立了数据治理工作委员会，通过搭建公共平台、制定共同标准等推动互联网行业数据治理能力的提升。

其他行业数据资产管理能力不足的主要原因包括信息化基础薄弱、数据管理投入人员和专业水平不足、数据资产管理驱动力受限等。以工业为例，在信息化基础方面，相较于头部行业成熟的大数据平台和正在建立的数据基础设施，工业企业依然停留在应用 ERP、CRM、SCM 等管理软件的阶段，使得企业级数据采集、存储和分析的成本较高，目前 41%的工业企业仍然使用手工或文档方式进行数据管理；在数据管理投入人员和专业水平方面，将近一半的工业企业在数据管理环节投入的人数为 5 人以下，未建立专业的数据管理团队；在数据资产管理驱动力方面，数据多用于监控生产运营和设备故障，数据应用场景狭窄，缺少数据资产带动业务发展的强驱动力。

部分企业进行了数据价值评估的探索。以南方电网为例，在传统的价值评估方法(如收益法、成本法、市场法)之外，提出了更为综合的评估方法，即结合影响数据价值实现的各类因素，对数据资产的定价方法进行修正和完善，同时也可利用不同的定价方法对价值的确定进行验证。

DataOps 逐步成为数据资产管理的新方向。相较于传统的数据资产管理，DataOps 在数据资产管理的驱动力上强调应用场景、数据运营、成本管控，在数据资产管理的活动上强调需求导向、团队协作、敏捷开发，在数据资产管理的技术上突出流水线、自动化、智能化。DataOps 能力包括数据集成开发、数据管理、数据分析、数据服务等。DataOps 的技术平台包括数据采集、元数据管理、数据模型设计和运维、数据批处理/虚拟化、数据管理(包括数据质量、数据隐私)、数据管理指标监控等。

7.2.2　政府数据管理水平不断提升

作为“数字中国”的有机组成部分，建设“数字政府”成为近年来各地积极推进的重要工作，在夯实数据基础之上，通过“用数据说话，靠数据决策，依数据行动”，增强政府决策的科学性、预见性和精准性。自 2014 年部分省市陆续成立大数据局开始，截至目前，全国共有 20 个省级政府和 80 个以上的副省级和地级市政府成立了专门的职能机构，对政府内部的数据资源进行统一协调管理。省级大数据管理机构的设立情况如表 7.2 所示。在此基础上，各地政府采取了多项举措进一步加强数据管理能力。

表 7.2　省级大数据管理机构设立情况

省级行政区	设立时间	机构名称	机构性质	隶属机构
北京市	2018 年	北京市经济和信息化局(市大数据管理局)	行政单位	北京市政府
上海市	2018 年	上海市大数据中心	事业单位	上海市政府办公厅
天津市	2018 年	天津市大数据管理中心	事业单位	天津市委网信办
重庆市	2017 年	重庆市大数据发展局	行政单位	重庆市经信委
	2018 年	重庆市大数据应用发展管理局	行政单位	重庆市政府
内蒙古自治区	2017 年	内蒙古自治区大数据发展管理局	行政单位	内蒙古自治区政府
黑龙江省	2019 年	黑龙江省政务大数据中心	事业单位	黑龙江省营商环境建设监督局
吉林省	2018 年	吉林省政务服务和数字化建设局	行政单位	吉林省人民政府
江苏省	2017 年	江苏省大数据管理中心	事业单位	江苏省政务服务管理办公室
浙江省	2018 年	浙江省大数据发展管理局	行政单位	浙江省政府办公厅
安徽省	2018 年	安徽省数据资源管理局(省政务服务管理局)	行政单位	安徽省人民政府

续表

省级行政区	设立时间	机构名称	机构性质	隶属机构
福建省	2018 年	数字福建建设领导小组办公室(省大数据管理局)	行政单位	福建省发改委
江西省	2017 年	江西省信息中心(省大数据中心)	事业单位	江西省发改委
山东省	2018 年	山东省大数据局	行政单位	山东省政府
河南省	2018 年	河南省大数据管理局	行政单位	河南省办公厅
湖北省	2019 年	湖北省大数据中心	事业单位	湖北省政务管理办公室
广东省	2014 年	广东省大数据管理局	行政单位	广东省经信委
	2018 年	广东省政务服务数据管理局	行政单位	广东省政府办公厅
广西壮族自治区	2018 年	广西壮族自治区大数据发展局(中国-东盟信息港建设办公室、政务服务网监督管理办公室)	行政单位	广西壮族自治区政府
海南省	2019 年	海南省大数据管理局	法定机构	海南省人民政府
四川省	2019 年	四川省大数据中心	事业单位	四川省人民政府
贵州省	2015 年	贵州省大数据发展管理局	行政单位	贵州省人民政府
陕西省	2017 年/2018 年	陕西省工信厅(省政务数据服务局)和陕西省大数据管理与服务中心	行政单位	陕西省工信厅

一方面，多地颁发的政府数据管理办法明确了数据权

责清单。各级政府纷纷建立数据统筹集约管理机制，建立覆盖数据资源全生命周期的管理制度体系和标准体系。一般由当地政府统一领导，各地各部门按照省统一的标准规范和要求，组织开展数据治理专项工作，由大数据主管机构负责指导、监督、管理和协调工作，并对各级行政机关和企事业单位的数据资源管理情况进行考核，各级行政机关和企事业单位依据“三定权责”进行数据共享开放，并开展数据管理。

另一方面，各地加强了对数据质量、数据标准、数据目录、元数据、数据采集、数据审计和数据安全等方面的要求。包括确保数据真实、准确、完整、及时地按照相关技术标准对数据进行结构化处理、数据目录更新维护、明确元数据信息、采用“一数一源”采集原则、建立日志记录以确保数据使用过程可追溯、数据分类分级等。同时，各地政府也有序推动各类数据建库工作，深化基础数据库共建共用，促进政务数据共享开放，充分分析挖掘公共数据的潜在价值。在数据质量方面，以2020年11月实施的《杭州城市大脑赋能城市治理促进条例》(以下简称《条例》)为例，《条例》明确了公共数据质量管理遵循“谁提供，谁负责”的原则，数据资源主管部门负责会同其他相关部门建立数据质量管控机制，对公共数据的质量以及应用情况等进行持续的监督和全面的评价。

以海南为例，2019年，海南省政府基于当时政务大数据平台数据采集全面性不足、数据实时性不够、数据质量有待提升、数据服务出口不统一、数据完整性较差、缺少实时数据服务等现状，提出建设基础数据质量提升工程。

截至目前，海南省政务大数据公共服务平台已完成了元数据管理系统、数据标准管理系统、数据指标管理系统、数据标签管理系统、数据质量管理系统、数据分析系统、数据共享系统等的完善升级，并实现了 317 个政务系统，43037 张表，77 万个信息项，48 亿条记录数的归集。

以珠海为例，珠海市自 2018 年起，珠海市陆续出台对政务数据资源共享管理的工作要求，通过整合各部门、各层级的业务和数据，形成了统一的、集中的政务信息资源共享平台。2019 年珠海市正式成立珠海市政务服务数据管理局，出台《珠海市公共数据资源管理暂行办法》，明确公共数据资源采集、管理、分析、应用相关工作的管理职责，全面加强公共数据资源治理工作。2020 年，珠海市围绕“统、汇、治、通、用、智、技、管”八个方面实现了一系列的突破，推进公共数据资源登记管理平台建设，建立数据资源登记簿机制，进一步夯实公共数据基础，提升公共数据资源治理能力和治理水平，为全面推进公共数据要素市场化配置奠定了坚实基础。

政务数据管理水平的不断提升推动数字政府建设和城市数字化转型。纵观各省份数字政府建设规划，政务数据管理均处于基础性、关键性位置，强调政务数据采集、存储、计算、管理、利用的全生命周期管理，尤其要着力破除信息“孤岛”，促进数据的流通，利用大数据技术提升政府服务能力，包括社会治理、生态保护、科学决策、市场监管等具体领域。同时，在城市数字化转型的过程中，良好的政务数据管理能力对于推进城市数字化转型、引导全社会共建共治共享数字城市具有重要意义。上海市委、市政府于 2020 年底公布《关于全面推进上海城市数字化转型的意见》，指出“数据要素为核心，形成新治理力和生产力”，推动公共数据和社会数据开放共享，逐步建立完善城市数据资源体系，建立数据要素市场，构建具有活力的数据运营服务生态,进一步提升社会生产力和运行效率。

7.3 数据开放与共享：现状、问题、方法

7.3.1 各地政府数据开放共享效果显著

政府数据资源规模大、种类多，且事关百姓生活的方方面面，数据的潜在价值巨大，政府数据的开放将为推进数字经济高质量发展提供巨大能量。

一方面，各地政府数据开放共享的制度体系逐步完善。根据中国信通院统计，截至目前，除黑龙江以外，全国共有 30 个省份出台了 56 份政府数据开放的相关政策文件。各省(市、区)政务数据开放相关政策文件如表 7.3 所示。在确定数据共享开放内容方面，各地坚持需求导向、目标导向，征求行业协会、相关企业、社会公众和行业主管部门的意见建议，形成数据开放目录清单，并进行动态调整。在共享开放数据范围方面，由政府数据扩展至企事业单位所涉及的公共数据资源。根据联合国经济和社会事务部的统计，全国开放数据集总量从 2017 年到 2019 年增加了 6 倍[9]。在共享开放数据成果形式方面，提供包括服务应用、数据可视化、研究成果、创新方案等数据共享开放形式。

表 7.3　各省(区、市)政务数据开放相关政策文件

地区	政策文件	发布时间
贵州	《贵州省政府数据共享开放条例》	2020.09.25
	《贵州省政务信息系统整合共享工作方案》	2017.10.13
	《贵州省政务数据资源管理暂行办法》	2016.11.01
重庆	《重庆市公共数据开放管理暂行办法》	2020.09.11
	《重庆市政务数据资源管理暂行办法》	2019.07.31
	《重庆市政务信息资源共享开放管理办法》	2018.05.05
	《重庆市政务信息系统整合共享工作方案》	2017.10.09
天津	《天津市公共数据资源开放管理暂行办法》	2020.07.21
浙江	《浙江省公共数据开放与安全管理暂行办法》	2020.06.12
	《浙江省公共数据和电子政务管理办法》	2017.05.01
广西	《加快推进广西政务信息系统整合共享实施方案》	2020.03.23
	《广西政务数据资源管理与应用改革实施方案》	2019.11.02
	《广西政务信息资源共享管理暂行办法》	2016.10.21
山东	《山东省电子政务和政务数据管理办法》	2019.12.25
	《山东省政务信息系统整合共享实施方案》	2017.10.22
	《山东省政务信息资源共享管理办法》	2015.03.01
辽宁	《辽宁省政务数据资源共享管理办法》	2019.11.26
	《辽宁省政务信息系统整合共享实施方案》	2017.08.16
上海	《上海市公共数据开放暂行办法》	2019.08.29
	《上海市公共数据和一网通办管理办法》	2018.09.30
	《上海市政务数据资源共享管理办法》	2016.02.29
吉林	《吉林省公共数据和一网通办管理办法(试行)》	2019.01.04
	《吉林省加快推进政务信息系统整合共享工作方案》	2017.11.22
广东	《广东省政务数据资源共享管理办法(试行)》	2018.11.29
	《广东省政务信息系统整合共享工作方案》	2017.10.30
湖北	《湖北省政务信息资源共享管理办法》	2018.09.26
宁夏	《宁夏回族自治区政务数据资源共享管理办法》	2018.09.04
	《宁夏回族自治区政务信息系统整合共享分工方案》	2017.10.09

续表

地区	政策文件	发布时间
内蒙古	《内蒙古自治区政务信息资源共享管理暂行办法》	2018.06.15
海南	《海南省公共信息资源管理办法》 《海南省政务信息整合共享专项行动实施方案》	2018.05.25 2017.09.30
河南	《河南省政务信息资源共享管理暂行办法》 《河南省政务信息系统整合共享实施方案》	2018.01.08 2017.09.29
北京	《北京市政务信息资源管理办法(试行)》	2017.12.27
西藏	《西藏自治区政务信息系统整合共享实施方案》	2017.12.22
云南	《云南省政务信息资源共享管理实施细则》	2017.12.22
湖南	《湖南省政务信息系统整合共享实施方案》 《湖南省政务信息资源共享管理办法(试行)》	2017.12.19 2017.11.22
江苏	《江苏省政务信息资源共享管理暂行办法》 《江苏省政务信息系统整合共享工作实施方案》	2017.10.26 2017.09.07
福建	《福建省政务信息系统整合共享实施方案》 《福建省政务数据管理办法》 《福建省政务信息共享管理办法》	2017.10.25 2016.10.15 2010.11.12
山西	《山西省政务信息系统整合共享工作方案》	2017.10.12
甘肃	《甘肃省政务信息系统整合共享实施方案》	2017.09.30
河北	《河北省政务信息系统整合共享实施方案》 《河北省政务信息资源共享管理规定》	2017.09.22 2015.11.13
陕西	《陕西省政务信息系统整合共享实施方案》 《陕西省政务信息资源共享管理办法》	2017.09.13 2017.08.16
江西	《江西省政务信息系统整合共享实施方案》 《江西省政务信息资源共享管理实施细则》	2017.09.13 2017.01.16
安徽	《安徽省政务信息系统整合共享实施方案》 《安徽省政务信息资源共享管理暂行办法》	2017.08.23 2017.02.21
青海	《青海省政务信息系统整合共享工作方案》	2017.08.01

续表

地区	政策文件	发布时间
新疆	《关于推进新疆维吾尔自治区政务信息资源共享管理工作的实施意见》	2017.05.20
四川	《四川省政务信息资源共享管理实施细则(暂行)》	2017.03.05

另一方面，各地政府数据开放共享的落地实施进展加快。根据复旦大学数字与移动治理实验室的统计，截至2020年4月底，全国已有130个省级、副省级和地级政府上线了数据开放平台[10]，具备包括数据检索、数据申请、数据获取和数据探索等基本能力，形成了省市分级维护数据资源、协同共享数据资源体系的局面。以深圳市政府数据开放平台为例，从2016年11月上线以来，截至2020年7月，平台访问次数近2478万次，数据总量近2.7亿条，内容涉及教育科技、交通运输等 14 个领域。北京市截至2020 年底已通过政务数据资源网向社会无条件开放 92 个单位5727个数据集、共计约576万条公共数据，加上有条件开放数据，北京市公共数据开放综述已达到9214个数据集、共计55.3亿条数据记录。同时，北京市构建了“数据开放创新基地”，积极探索通过竞赛、定向授权等方式，持续有条件地开放特殊领域公共数据。

同时，多地举办数据创新应用活动，推动政务数据的开发利用，充分发掘政府数据的内在活力。例如北京、上海、深圳、杭州、成都、珠海、贵阳等地均举办了数据应用创新大赛，在推动政府开放数据的同时，提升了政府数据的利用效率。以深圳市2020年开放数据应用创新大赛为例，开放了 2 亿 7 千条脱敏后的真实数据，涉及疫情防控、环境保护、社会治理、医疗健康等多个领域，诞生了如“疫情防控下空间智能支持居民生活保障”、“城市地摊经济解决方案”等数据利用成果。北京于 2020 年 5 月举办了“数智医保创新竞赛”，向社会开放了全市一整年的参保人员全量脱敏医保数据，并利用数字北京大厦的基础设施条件建设了数据开放创新基地，搭建包括私有云资源、数据沙箱、大数据平台在内的数据开放环境。

7.3.2　政务数据共享开放面临的问题

当前，政务数据共享开放仍面临统筹协调机制待完善、数据共享标准未统一、数据安全防护需加强、政企数据融合不足、数据利用效能有限等问题。

1. 统筹协调机制待完善

以业务协同为牵引的政务数据共享，涉及跨区域、跨层级、跨部门各单位之间的配合，但由于配合、协同体制机制不够完善，供需双方权责不够明确，共享范围和边界不够清晰，出现因习惯于原有工作模式，以没有“法律的强制约束”或“上级明确指令和硬性要求”为由拖延、应付、敷衍共享的现象，难以形成整体合力。在政策法规方面，关于促进政务数据开放共享的政策以倡导性和计划性为主，缺乏保障政策落地性的实施方案以及配套考核机制，难以形成促进政务数据共享的长效机制。

2. 数据共享标准未统一

数据共享标准不统一体现在两个方面，一是系统层面，各业务部门的应用系统基于各自业务需求而建，数据存储结构、技术标准不统一，系统之间无法兼容和对接，普遍存在各垂直业务系统之间、各垂直业务系统与大数据平台之间不能互连互通的问题，客观上造成了“数据孤岛”。二是数据层面。各部门沉淀的数据中，核心业务元数据标准不统一、业务数据串数名称、格式存在较大差异，对跨部门之间数据汇聚、共享、应用造成阻碍。

3. 数据安全防护需加强

政务数据在各单位之间流动、共享和开放，业务数据不仅存在于数据区域、业务区域、终端区域，还进一步流出到外网，数据安全防护需求随之动态变化。同时，政务数据共享交换使得数据资产集中存储和管理，大量分散的、结构化和非结构化的数据汇集到共享交换平台，由于各地、各部门政务数据标准不一致，属性不同，数据分类分级等安全策略有待落实，难以进行有效管控。政务数据共享开放对安全防护技术提出了更高的要求，如果对数据识别不清、安全级别判断不足，易发生数据源伪造、传输数据遭窃听篡改、数据非授权使用、数据共享外发泄露等问题。

4. 政企数据融合不足

打造数字政府、建设智慧城市和发展数字经济都离不开政务数据、公共数据和社会数据的开发利用和价值挖掘。然而，由于各类数据的主体不同、数据类型不同、数据用途不同等因素，部分数据主体参与数据流通的意愿有限，导致政企数据无法融通、融合应用局限等问题。另外各级政府通过政务大数据平台共享开放平台，对外提供的大多是公益类数据，部分垂直领域数据和跨政府部门数据的开放仍无法满足社会需求，我国政务数据与社会数据共享利用的潜在价值尚未完全激活[11]。

5. 数据利用效能有限

政府对政务数据开放的利用效率较低，数据对经济的赋能作用仍有待加强。根据复旦大学《中国地方政府数据开放报告(2020下半年)》，平台有效数据集开放数量方面，2020年比2017年增长超过10倍，覆盖各省市关键领域、主要部门及疫情防控类信息。但与此形成鲜明对比的是，政务数据的利用成效仍然偏低。在复旦大学“数林指数”四个维度(准备度、平台层、数据层、利用层)中，“利用层”的评分一直居于末位。根据研究初步统计，在已建成的15个省级的数据共享开放平台上，共展示了应用成果213个，平均每个省份已有14个成熟的落地案例；有效应用成果91个，平均每省6个。在应用的领域方面，目前主要集中在文旅、交通等信息查询、公共服务方面，在广大经济领域的落地场景应用相对较少，开始市场化应用的案例则更为有限。

7.4　数据交易：现状、问题、方法

要实现政府、企业外部社会化、自由有序的数据流通，我们需要建立规范有序的交易市场，从而为数据的流通提供健康发展的土壤。

我国的数据交易产业起步于2014年。2014～2016年间，国内大数据交易所呈井喷态势，各地开花，不到三年

的时间里先后成立了 13 家大数据交易所(中心、平台)，如图 7.1 所示。但几年时间过去，各家交易所的运营情况大多不尽如人意，数据交易的成交量远低于预期设想，甚至很多已经陷入搁置、停运状态，数据交易产业仍处在小规模探索阶段。

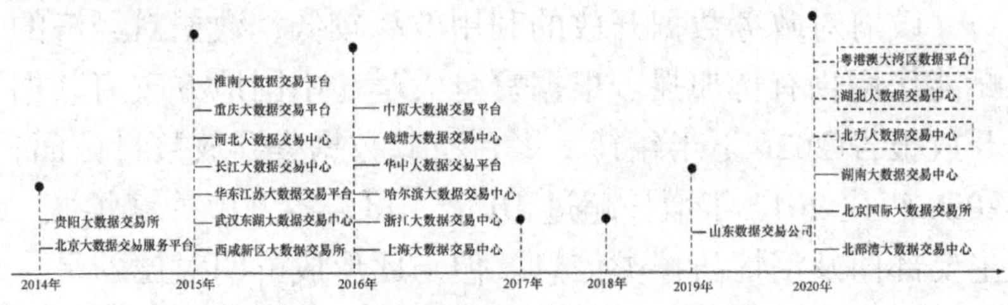

图 7.1　国内大数据交易机构建设历程

究其原因，主要在于数据交易所的定位和模式未明、数据交易配套的法律体系尚未完善。一方面，各交易所建设时的定位相似、功能重复，在缺少核心竞争优势的同时，服务模式、定价标准等交易规则体系参差混乱，难以培养数据供需双方对交易所的平台依赖，只能沦为小规模数据交易的撮合者。另一方面，数据权属的界定仍处于灰色地带，在相关立法尚未健全的当下，行业内的实践中并未能形成具有共识性或参考性的权属分割规则，产权争议、无法监管的风险令供需双方望而却步。除此之外，频发的数据安全和个人隐私泄露事件加剧了社会对数据交易的不信任感，出于对国家安全、个人信息和商业秘密的保护，主体参与数据交易的主动性、积极性因此降低，成为数据交易所发展的又一大障碍。

随着中央提出加快培育数据要素市场的愿景，以及新的市场环境和技术条件，大数据交易市场又出现了新的生机，我国国内的数据交易产业重新起航。自 2019 年年底以来，各地重新布局数据交易产业的脚步加快。在各地 2020 年政府工作报告中，湖北省提出将筹建湖北大数据交易集团，天津滨海新区提到要加快建设北方大数据交易中心。2019 年 12 月 11 日，山东数据交易公司在济南揭牌成立，并联合上海、江苏、安徽的数据交易机构共同发起成立华东数据联盟，孵化跨省市的数据交易流通生态。2020 年 7 月 14 日，湖南大数据交易中心正式开工建设，预期年内完成基本建设。8 月 12 日，北部湾大数据交易中心在南宁揭牌，作为国际化数据资源交易服务机构，面向中国及东盟提供全链条、一站式的数据服务。

北京探索建设北京国际大数据交易所。2020 年 9 月 5 日，北京市委宣布将建设国际大数据交易所。9 月 7 日，《北京国际大数据交易所设立工作实施方案》正式发布，其建设目标定位于国内领先的大数据交易基础设施和国际重要的大数据跨境交易枢纽。北京国际大数据交易所明确了五大功能定位：一是打造一个权威的数据登记管理平台，通过充分的信息披露明晰数据的取得方式及权利范围；二是能得到市场公认的数据交易平台，对数据产品的所有权交易、使用权交易、收益权交易和跨境交易进行划分并提供多种交易模式；三是覆盖数据流通各环节的数据运营管理平台，提供数据清洗、数据分析、数据估值、法律合规咨询、尽职调查等各类全链条的服务；四是建立以数据为核心的创新金融服务平台，探索开展数据资产质押融资、保险、信托、担保、证券化等金融创新业态；五是探索前沿技术驱动的数据金融科技平台，深入挖掘多方安全计算、区块链等技术在数据安全、数据应用等方面的作用并充分运用。

中央支持深圳建设粤港澳大湾区数据平台。2020 年 10 月 11 日，中共中央办公厅、国务院办公厅发布《深圳建设中国特色社会主义先行示范区综合改革试点实施方案(2020—2025 年)》，支持深圳在更高起点、更高层次、更高目标上推进改革开放。在数据要素方面，《方案》提出“率先完善数据产权制度，探索数据产权保护和利用新机制，建立数据隐私保护制度”的改革目标。试点的探索将为深圳乃至整个粤港澳大湾区的数据要素市场化配置提供整体的思路。我国新设大数据交易所(中心)的基本情况如表 7.4 所示。

表 7.4　新设大数据交易所(中心)的基本情况

	建设进程	功能定位	服务模式	覆盖的数据资源
山东数据交易公司	已揭牌成立	省级综合性数据服务平台	提供数据交易平台、数据产品开发、数据应用、公共数据资源开放及其他类型等五大类服务	以公共数据资源为基础，吸引商业数据资源依托华东数据联盟，吸引跨省数据资源
湖南大数据交易中心	预期年内完成场地的基本建设	具有全国、全球影响的数据集聚、流通、应用的数据资源交易场所	采取“淘宝”的运营模式，为有交易需求的数据资源提供数据存储、定价、交易、监管服务	作为国家地理空间信息中心的南部分中心，汇聚湖南、福建、广东、海南等南方九省的地理信息空间数据资源，并以此为基础，整合政务数据、通信运营商数据、互联网企业数据、金融数据等

续表

	建设进程	功能定位	服务模式	覆盖的数据资源
北部湾大数据交易中心	已揭牌成立	以“政府指导，自主经营，市场化运作”为原则的国际化数据资源交易服务机构和数据服务全生态交易平台	以交易佣金、授权使用费、资源使用费、定制产品开发费、数据深度加工服务费等为盈利模式	面向国内和东盟地区各国汇聚、处理、使用和交易各类数据产品
北京国际大数据交易所	启动建设（由具有优质数据资源的市属国企对现有交易所进行重组、更名）	数据信息登记平台，数据交易平台，数据运营管理服务平台，数据资产金融创新服务平台，数据金融科技平台	基于五大功能定位提供数据信息登记服务、数据产品交易服务、数据运营管理服务、数据资产金融服务和数据资产金融科技服务	北京市政府部门（含具有公共事务职能的组织）将数据目录中的公共数据通过无条件开放和授权开放形式有序汇聚；同时，驱动商业数据聚集

未来，数据交易机构的建设和运营将是数据要素市场发展的一个重点。数据交易机构可以在数据资产登记、数据传输交付技术工具、数据交易审计等环节发力，促进数据流通和数据价值的发挥。数据中间商、数据增值服务商等其他市场的参与者，也可充分探索数据清洗、数据标注、数据加工等方面的创新服务模式，依托数据交易机构促进数据要素在工业、农业、金融、物流等领域的创新融合应用。

第 8 章　大数据法制

法律制度是数据要素市场化建设的重要保障。2021 年我国数据立法取得突飞猛进的进展，备受关注的《数据安全法》和《个人信息保护法》先后出台，与《网络安全法》共同形成了数据合规领域的“三驾马车”，标志着数据合规的法律架构已初步搭建完成。在此基础上，重点行业、新兴技术的法律和司法解释在今年密集出台，地方性立法成果丰硕，为国家安全提供了有力的支撑，为产业、技术的发展提供了清晰的合规指引，也为人民提供了更全面的权益保障。

8.1　基础法律：搭建数据合规基本框架

《数据安全法》与《个人信息保护法》的出台直面数字经济时代产业和社会发展的迫切需求，为数据要素市场化发展、数据安全保障和个人权益保护提供了坚实的法律基础。

8.1.1　《数据安全法》：安全基础上求发展

《数据安全法》于 2021 年 6 月 10 日，由第十三届全国人民代表大会常务委员会第二十九次会议通过。全文共七章五十五条，围绕保障数据安全和促进数据开发利用两大核心，对数据安全与发展、数据安全制度、数据安全保护义务、政务数据安全与开放进行了制度设计。

在保障数据安全方面，《数据安全法》构建了数据分类分级、数据安全风险评估、安全事件报告制度、监测预警机制、应急处置机制和安全审查等基本制度。在此基础上，第一，明确了数据处理者应建立数据安全管理制度、进行安全教育培训、开展风险监测和报告、采用技术手段落实制度等法律义务。第二，要求国家机关履行保密义务、建立健全管理制度、审慎监督受托方等以应对政务数据开放带来的安全风险。第三，建立数据安全审查制度、数据出口管制制度、对等反制制度以维护国家的主权、安全和发展利益。

在促进发展方面，《数据安全法》充分认可行业协会、评估认证机构和标准化机构在推动技术发展、完善合规建设和促进行业自律方面的作用。在政务数据开放方面，明确了政务数据以公开为原则、不公开为例外的基本理念。

《数据安全法》将为各行业带来深远的影响。对大数据产业而言，《数据安全法》搭建了数据安全合规制度的基本体系，为数据的处理者设置了明确的数据安全保护义务。数据处理活动将会更加有法可依、有章可循，大数据产业也将开始告别野蛮生长，在日趋完善的安全法规体系框架内有序发展。

8.1.2　《个人信息保护法》：数据处理与权益保障并重

虽然近年来我国个人信息保护力度不断加大，但随意收集、过度使用、非法买卖个人信息等问题仍十分突出，在此背景下，《个人信息保护法》致力于应对数据产业发展和个人信息保护的需求，进一步完善了我国数据合规领域的法律体系。

《个人信息保护法》的最大意义在于建立了一整套个人信息合法处理的规则，一是确立了自然人的个人信息受法律保护的原则和个人信息的处理规则；二是根据个人信息处理的不同环节、不同种类，对个人信息的共同处理、委托处理、数据共享、数据公开、自动化决策等提出针对性的要求；三是设专节规制敏感个人信息的处理规则，要求仅在具有特定目的、充分的必要性的前提下才可处理敏感个人信息；四是设专节提出了国家机关处理个人信息的规则，在保障依法履职的同时，要求国家机关依照法律、行政法规规定的权限和程序处理数据。

在个人权利和处理者义务的维度，《个人信息保护法》一方面明确个人享有知情权、决定权、查询权、更正权、删除权等权利，另一方面要求处理者制定管理制度和操作规程，采取安全技术措施，指定负责人对个人信息处理活动进行监督，定期开展合规审计，对高风险处理活动进行事前的风险评估等。

在个人信息跨境规则方面，《个人信息保护法》设置了网信部门安全评估和专业机构认证等前置程序，对跨境的“告知-同意”提出更严格的要求，要求获批后才可向境外司法或执法机构提供个人信息，规定在我国公民个人信息权益被境外侵害的应对措施和我国的反制手段等内容。

8.2　部委发力：细化落实基础合规要求

在数据合规基础法律框架搭建完成后，针对工业、电信、金融、汽车等行业数据的基础性规范和指导性文件密集出台，关键信息基础设施建设、数据跨境和数据垄断等热点问题得到及时回应，着眼于人脸识别、算法等数据应用的规制也迅速跟进，为保护公民个人信息、保障国家安全的诸多难点热点问题提供了有力的法律保障。

8.2.1　行业数据基础规范逐渐细化

在行业数字化转型的浪潮中，各行业沉淀了海量数据，关乎国计民生，对数据合规的需求更加刚性、更为紧迫。密切关注行业监管动态，落实行业数据合规要求已成为企业合规必然的发展趋势。

在工业和通信业，工信部 2021 年 9 月 30 日发布了《工业和信息化领域数据安全管理办法(试行)(征求意见稿)》。该《管理办法》明确了各级主管机构的监管职责和引导产业发展的责任，详细规制了工业、电信数据的分类分级方法，重要数据、核心数据的判定条件和全生命周期备案管理制度。在应对安全风险方面，规范了数据安全监测预警与应急管理、数据安全检测评估与认证管理等制度。其中，在汽车行业，随着数字化、智能化等技术在汽车制造领域的快速普及，整车和零部件的电子化和智能化水平快速提高，数字化技术在汽车行业的应用已日渐深入，汽车数据合规的重要性也由此日益凸显。2021 年 7 月，网信办会同四部委发布了《汽车数据安全管理若干规定(征求意见稿)》，专门针对网联汽车的场景对个人信息、敏感个人信息、重要数据等提出了数据分类要求等。同期，工信部印发了《关于加强智能网联汽车生产企业及产品准入管理的意见》，要求加强汽车数据安全、网络安全、软件升级、功能安全和预期功能安全管理，保证产品质量和生产一致性，推动智能网联汽车产业高质量发展。

在金融行业，为整治个人征信行业的乱象，央行 2021 年 9 月 30 日发布了《征信业务管理办法》以更好保护信息主体的合法权益，促进征信业的健康发展。该《办法》清晰定义了征信业务和信用信息，并在附则中特别厘清了实践中多种业务形态的实质；要求个人征信机构必须持牌经营，金融机构只能与取得相应资质的市场机构开展合作；对征信机构在信用信息的采集、整理、保存、加工、提供和使用的全流程进行了详细规制等。

8.2.2 数据产业热点问题得到回应

为进一步保障关键信息基础设施安全，2021 年 7 月正式发布的《关键信息基础设施安全保护条例》明确了关键信息基础设施认定的具体部门和考虑因素，对运营者的安全责任义务进行了详细规范。

为规范数据出境活动，保护个人权益、国家安全和促进数据跨境安全、自由流动，网信办于 2021 年 10 月 29 日发布了《数据出境安全评估办法(征求意见稿)》。《征求意见稿》对数据出境安全评估程序做出了较为详细的规定，如强制申报安全评估的情形、申报材料、安全评估重点事项、评估程序、评估结果的时效以及结果失效的情形等，为我国数据跨境流通提供了重要的配套落地规则。此外，网信办于 2021 年 11 月 14 日发布了《网络数据安全管理条例（征求意见稿）》，对特定数据处理者申报网络安全审查、开展并报送数据安全评估等内容进行了详细的规范。

针对“数字化卡特尔”这一更为隐蔽的新型垄断协议形式，《反垄断法》(修正草案)明确将对具有市场支配地位的经营者利用数据、算法、技术以及平台规则，对其他经营者进行不合理限制的行为定性为滥用市场支配地位的行为。草案也强调了国务院反垄断执法机构应当依法加强民生、金融、科技、媒体等重点领域中经营者集中的审查，防止企业在技术优势的加持下，运用数据、用户流量和算法算力为数字经济的健康发展带来隐患。

8.2.3　数据技术合规要求陆续出台

随着信息技术飞速发展，人脸识别、自动化决策等逐步对产业发展和人民生活产生深远的影响。由于信息泄露风险大、技术滥用场景多和潜在影响难判断等问题，技术带来的个人信息保护隐患逐渐凸显，从技术层面强化安全合规监管的呼声日益高涨。表 8.1 列举了部分涉及数据技术合规应用的法律即政策文件。

表 8.1　数据应用技术要求列表(部分)

名称	发布主体	发布日期
工业和信息化领域数据安全管理办法(试行)(征求意见稿)	工信部	2021.9.30
征信业务管理办法	中央人民银行	2021.9.30
汽车数据安全管理若干规定(征求意见稿)	网信办、发改委、工信部、公安部、交通运输部	2021.7.5

续表

名称	发布主体	发布日期
关于加强智能网联汽车生产企业及产品准入管理的意见	工信部	2021.7.30
关键信息基础设施安全保护条例	网信办	2021.7.11
数据出境安全评估办法(征求意见稿)	网信办	2021.10.29
反垄断法(修正草案)	全国人大常委会	2021.10.23
关于审理使用人脸识别技术处理个人信息相关民事案件适用法律若干问题的规定	最高人民法院	2021.7.28
互联网信息服务算法推荐管理规定(征求意见稿)	网信办	2021.8.27

在人脸识别技术方面，2021 年 7 月底最高人民法院发布了《关于审理使用人脸识别技术处理个人信息相关民事案件适用法律若干问题的规定》，以列举的方式明确了侵害自然人人格权益的行为类型，明确处理人脸信息需获得单独同意且不得捆绑授权或变相强迫，让个人更加充分地参与到人脸信息处理的决策过程中，防止信息被无感知、捆绑式地收集。

在自动化决策方面，除《个人信息保护法》的规制外，2021 年 8 月 27 日中央网信办发布的《互联网信息服务算法推荐管理规定(征求意见稿)》着力于解决算法推荐领域的乱象，建立由网信部门、行业自律和社会监督相配合的全面监督管理体系。该《规定》要求对算法实施建立分类分级制度，对特殊算法推荐服务的提供者实施备案管理和安全评估。

8.3　地方立法：着力创新攻坚合规难题

随着数据合规立法逐渐进入深水区，地方立法充分发挥试点优势，探索数据确权、数据估值和数据流通等关键难题的解决之道。地方立法的先行先试将有助于推动地区数字经济发展，为国家制度创新积累经验，加速推动大数据的立法进程。

2021 年 7 月发布的《深圳经济特区数据条例》是国内数据领域首部基础性、综合性的地方立法。在个人数据方面，《条例》进一步明确了个人数据处理的合法基础和处理方式，强调个人信息主体撤回同意的权利；在数据市场方面，《条例》肯定了市场主体对合法处理形成的数据产品和服务享有的使用权、收益权和处分权，回应和规范了用户画像、定推及大数据杀熟等问题，强调充分发挥数据交易所的积极作用等。

2021 年 10 月发布的《上海市数据条例(草案)》积极探索数据确权问题，明确了数据同时具有人格权益和财产权益的双重属性；在数据要素市场发展方面，提出建立数据资产评估、数据生产要素统计核算和数据交易服务体系等。

作为广东省首部数据层面的政府规章，2021 年 10 月发布的《广东省公共数据管理办法》为规范公共数据管理，促进公共数据资源的开发利用提供了制度保障。《办法》首次明确将公共服务供给方数据纳入公共数据管理范畴，为公共数据的综合管理打下坚实的基础。为进一步促进数据交易的发展，《办法》在国内首次明确了数据交易的标的，强调政府通过数据交易平台加强对数据交易的监管，弥补了以往政府监管的空白。

第 9 章　大数据技术学术前沿综述

大数据为数字经济发展带来助力的同时，也为产业发展和权益保障带来诸多挑战，例如云计算的开放性可能导致个人隐私或商业秘密的泄露，系统固有问题可能导致推荐算法准确度有限，历史数据膨胀带来的大量重复计算严重浪费存储与算力资源等等。为应对大数据技术发展过程中的新挑战，学界提出诸多创新解决思路和技术方案。

在云计算隐私保护方面[12]，由于云的开放性和用户只能对云上数据进行有限的控制，直接在云上开展大数据分析处理可能会导致个人隐私或商业秘密的泄露。第一，基于张量的数据分析与处理技术可以实现有效数据分析处理的同时保障用户的隐私。具体而言，新的云端语义安全的加密数据张量分解可通过同态加密和联邦云的方式对用户数据的加密张量进行分解，从而免去用户与云服务器之间的数据交互过程，进而增强用户隐私保护。第二，基于同态加密的云服务器和可信硬件可提供一个安全的主特征张量计算方案，一方面可以充分吸收同态加密和乱码电路技术的优势，另一方面也通过轻量级的打包技术平衡了技术方案的安全性和效率。第三，安全的高阶 Lanczos 算法也被实验证明可在雾和云合作执行大数据处理任务的同时避免泄露用户隐私。第四，利用张量链网络的高阶 Lanczos 模型也可在云上以张量链形式的大规模张量上安全执行数据处理任务。

在推荐算法方面[13]，针对推荐系统固有的可扩展性、数据稀疏性和冷启动的问题，基于加权二部图网络的个性化推荐算法借鉴物理学上的热传导和资源分配原理，将推荐系统建模为一个加权二部图网络，将用户的评分值作为需要进行分配的资源，同时在算法中引入一个可自由调节的参数来降低"大度"节点的影响，从而在项目和用户的两步资源分配中实现个性化推荐。此外，基于数据填充的协同过滤个性化推荐算法利用数据填充方法、多种推荐策略和用户相似度计算方法可开展协同过滤推荐，从而有效地缓解数据稀疏性的问题，提升推荐的准确度。

在减少重复计算方面[14]，通过对语句的特征进行预分类的重复语句查询检测技术可仅在历史数据的子集内进行计算，避免检测时间随历史数据膨胀而过长。针对文件访问模式不均衡的问题，基于分级存储架构的技术方案，可依据任务负载情况准确定位数据集中的热数据，并通过共享存储集群加速热数据处理。此外，基于分离复制策略的元数据复制方法，可使内存与磁盘中元数据的操作复制过程相互独立，在提升元数据复制效率的同时保障数据的可靠性。

在结构化数据存储查询方面[15]，为应对大规模数据集快速响应交互式请求的需要，SQL on Hadoop 通过结合 Hadoop 和 SQL 引擎，可在存储层用 HDFS 进行数据管理，在应用层为用户提供清晰的数据库视图和高度透明化的查询接口。为对存储组织结构和查询分析机制进行进一步改进，学界提出了基于关联度分析的数据划分机制。该机制基于分区子表在查询集上的运算关系建立关联度统一分析模型和关系矩阵，从而通过矩阵转换计算优化数据划分方案。

在面向超算系统的大数据处理技术方面[16]，通过流水化任务、优化中间数据管理以及基于 MPI 的中间数据交换等等，能够更加充分得利用超算系统资源进行高性能数据分析。另外，利用任务窃取和集合也可以分别提升读输入文件和写输出文件的性能，应对面向全局共享文件系统部署时的并行性能瓶颈问题。

在提升 MapReduce 和神经网络的性能方面[17]，采用集成学习的方法对构建双层模型对应用程序性能的影响和 Hadoop 配置参数之间的关系进行建模。在此基础上，基于性能模型寻找配置参数组合的优化方式，从而准确预测 MapReduce 应用的运行时间，减少错误率，提升应用性能。另外，为应对频繁数据移动对系统能耗和性能带来的影响，基于动态任务迁移的近数据处理方法可通过对 MapReduce 应用的工作流解耦来获得核心的计算任务，通过迁移机制将计算任务动态迁移到近数据处理单元中运算，进而有效减少主处理单元和存储单元之间的数据移动，提升数据处理的能效和性能。

在高性能计算系统的数据融合管理方面[18]，基于层次式存储结构的数据管理系统，可以统一管理内存、固态硬盘等多个存储层次，为融合应用提供高效的数据缓存空间。为充分发挥不同存储层次的性能和容量等特点，该层次式数据管理系统可结合应用数据的访问模式定制数据管理策略，协调数据在不同存储层次的分布。此外，针对存储层次加深引起的数据局部性变化，数据感知任务调度机制可配合资源管理系统尽可能使计算资源调度到计算任务中，从而提升应用性能，优化高性能计算系统的数据管理能力。

在云存储高性能安全去重方面[19]，利用离散对数难题将用户随机因子融入冗余数据检测的数据结构中可以提升冗余数据检测中的数据隐私安全保护效果。另外，针对仅有少数字节变化的多版本文件带来的冗余问题，面向多版本数据的安全去重方法可将修改后的内容存储在增量编码文件中，有效避免由离散型修改所导致的大量非冗余数据块上传，从而有效地降低修改操作导致的非冗余数据块数量和加密密钥的维护开销。

作者：何宝宏　魏凯　仵姣姣　闫树　吕艾临
王卓　李雨霏　刘寒　马鹏玮　姜春宇

参考文献

[1] 贵州日报. 中国共产党贵州省第十二次代表大会报告关键词解读. http://szb.gzrbs.com.cn/gzrb/gzrb/rb/20170913/Articel06003JQ. htm[2021-01-09].

[2] 大数据产业生态联盟. 2020 中国大数据产业生态地图暨中国大数据产业发展白皮书. https://mp.weixin.qq.com/s?src=11×tamp=1619318321&ver=3029&signature=oDArg8C92WtkZneRVZ-Eg5hReKCEyYJjflYBez5JN90jXzzKhLseuxKyG*MIzKmGH0YYUhnpgtgVz42dXT2zSj3R3N05b062xz5zbWvqs8VCPN*2NOttb5Zo1L*qMVeY&new=1[2020-11-27].

[3] 李桥兴, 胡雨晴. 大数据产业的属性与分类界定及其模糊识别研究. 科技管理研究, 2020, 40(03): 163-173.

[4] 中国信息通信研究院. 大数据白皮书(2020). http://k.caict.ac.cn/ekp/caict/km/zhaochengguo/bps/202012/t20201231_367344. html[2021-01-17].

[5] 董春岩, 刘佳佳, 王小兵. 日本农业数据协作平台建设运营的做法与启示. 中国农业资源与区划, 2020, 41(01): 212-216.

[6] 吴学忠. 大数据在电力行业的应用. 信通院观察专栏. http://k.caict.ac.cn/ekp/caict/km/zhaochengguo/xtygczl/201307/t20130711_165899. html[2020-12-03].

[7] 中国信息通信研究院. 大数据白皮书(2019). http://k.caict.ac.cn/ekp/caict/km/zhaochengguo/bps/201912/t20191216_271824. html[2021-01-19].

[8] 中国信息通信研究院. 大数据白皮书(2018). http://k.caict.ac.cn/ekp/caict/km/zhaochengguo/bps/201804/t20180417_165359. html[2021-01-19].

[9] 联合国经济和社会事务部. 2020 联合国电子政务调查报告. https://blog.csdn.net/hely00/article/details/114932634?utm_medium=distribute.pc_relevant_download.none-task-blog-baidujs-1.nonecase&depth_1-utm_source=distribute.pc_relevant_download.none-task-blog-baidujs-1.nonecase[2021-01-03].

[10] 复旦大学数字与移动治理实验室. 2020 下半年中国政府数据开放报告. https://blog.csdn.net/jR2qkuHiR0G/article/details/113152626[2021-01-09].

[11] 中国信息通信研究院. 政务数据共享开放安全研究报告(2021). https://www.sohu.com/a/444754548_653604[2021-02-05].

[12] 冯君. 安全的张量大数据分析与处理研究. 武汉: 华中科技大学. 2018.

[13] 夏建勋. 大数据背景下的信息推荐技术研究. 武汉: 华中科技大学. 2017.

[14] 王占业. 大数据处理若干关键技术研究. 北京: 清华大学. 2016.

[15] 徐涛. 结构化大数据存储与查询优化关键技术. 北京: 清华大学. 2016.

[16] 高涛. 面向超算系统的大数据处理关键技术研究. 长沙: 国防科技大学研究生院. 2016.

[17] 华幸成. 面向大数据处理的应用性能优化方法研究. 杭州: 浙江大学. 2019.

[18] 程鹏. 面向高性能计算系统的融合数据管理关键技术研究. 长沙: 国防科技大学研究生院. 2020.

[19] 田纹龙. 面向云存储的高性能安全去重技术研究. 武汉: 华中科技大学. 2019.